Luc Descamps is onder andere bekend van de populaire *Donkere Getallen*-reeks. Zijn werk werd genomineerd en bekroond met de eerste prijs van de Kinder- en Jeugdjury Vlaanderen.
Meer weten? Kijk dan op: www.lucdescamps.be

Gatenkaas

Luc Descamps
Met tekeningen van Harmen van Straaten

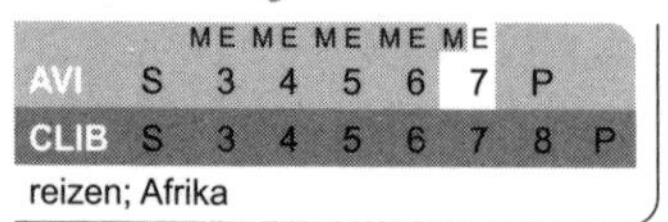

De Nederlandse Kinderjury 2009

avi 9

1e druk 2009
ISBN 978.90.487.0317.3
NUR 283

Vormgeving: Rob Galema

Uitgeverij Zwijsen B.V. Tilburg

Voor België:
Uitgeverij Zwijsen.be, Antwerpen
D/2009/1919/201

Inhoud

Het nieuws

Mijn ouders willen verhuizen. En ze verwachten natuurlijk dat ik meega.

'Paps moet naar het buitenland voor zijn werk bij het metaalverwerkingsbedrijf,' zei mijn moeder terloops. 'We gaan in Kinshasa wonen.'

'Kinshasa, waar ligt dat?' piepte ik, te geschrokken om te protesteren.

'In Congo.'

'Dat ligt toch ergens in Midden-Afrika?'

'Inderdaad,' antwoordde mams.

En daar stopte haar mededeling. Het leek wel of ze aankondigde dat we eventjes naar het stadscentrum zouden rijden om daar gezellig te gaan winkelen.

Werkelijk onvoorstelbaar toch dat ze niet eens even polste wat ik ervan vond!

'En ik dan?' probeerde ik wanhopig. 'Wordt er gewoon van mij verwacht dat ik al mijn vriendinnen achterlaat?'

'Ach, Auke. Het is maar voor een jaartje. Voor je er erg in hebt, zijn we alweer terug.'

Die uitspraak vond ik zo ontiegelijk belachelijk, dat ik geen zinnig antwoord kon bedenken. Een jaartje! Als dat niet lang is, wat dan wel? Dat vind ik altijd zo hatelijk aan mezelf. Ik weet dikwijls niet welke woorden ik moet gebruiken om te vertellen wat ik voel of denk. Grote mensen kan ik ook geregeld haten. Volwassenen zeggen gewoon wat ze willen en als je elf bent, moet je alles eenvoudigweg maar slikken. Hoe zou jij je voelen als jouw vader een opdracht in Afrika zou krijgen en je gewoon maar verondersteld werd te volgen?

Verontwaardigd holde ik naar mijn slaapkamer en sloot me daar op. Helemaal niet om te gaan zitten grienen, dan ken je me niet. Ik had gewoon tijd nodig om alles op een rijtje te zetten en een oerdegelijk actieplan te bedenken. Voor mij stond het als een paal boven water dat ik niet naar Afrika wilde. Niet dat ik Congolezen verafschuw of zo, maar ik hou nu eenmaal van het gezellige dorpje waar we wonen.

Ik ging languit boven op mijn beddensprei liggen, want zo kan ik het beste nadenken. Ik moest hier onderuit zien te komen. Maar op welke manier?

Een plan de campagne

Het allerbelangrijkste onderdeel van mijn actieplan zat aan onze tafel. Met een voldane uitdrukking op zijn gezicht schoof hij zijn bord langzaam van zich af en likte bedachtzaam zijn lippen.

'Daar heb ik van genoten, Marjolein. De kipschotel smaakte heerlijk,' zei opa en hij maakte daarbij een smakkend geluid. 'Weet je zeker dat je die lekkernij niet zult missen in Afrika? Daar vind je alleen schriele kippen, weet je? En ik kan het weten, want in 1960 ben ik daar geweest, zoals je waarschijnlijk wel hebt onthouden. Dat heb ik je immers al eerder verteld. We zijn teruggekeerd toen jij bijna geboren zou worden. Wat was me dat een tijd! Die Congolezen keken hun ogen uit toen de *mundeles* – de blanken – in Kinshasa al die prachtige, majestueuze gebouwen neerzetten. En dan dat gigantische standbeeld op de Place Victoire: twee handen die naar de hemel reiken alsof ze een geschenk van God zelf in ontvangst nemen. De inwoners van Kinshasa waren apetrots. Nu zullen jullie daar een totaal andere situatie aantreffen. Alles is er in verval; geloof me!'

Opa ratelde onophoudelijk door. Dat was tenslotte zijn handelsmerk.

'Weet je zeker dat je het wilt doen, opa?' onderbrak mijn vader hem.

Hij hield er geen rekening mee dat zijn schoonvader nog niet was uitgepraat, maar in zijn geval was dat niet onbeleefd. Als je geduldig afwacht tot opa is uitgerateld, bestaat er een behoorlijke kans dat je nooit aan het woord komt. Ooit van een spraakwaterval gehoord? Nou, mijn grootvader is er één. En dat kan je behoorlijk letterlijk nemen, want terwijl hij vertelt, spuugt hij zo uitbundig dat je soms het gevoel hebt onder de douche te staan.

'Of ik wat wil doen?'

'Auke bij je in huis nemen. Het is voor een jaar, weet je nog? Driehonderdvijfenzestig dagen!'

'Ben je mal? Auke is een prachtmeid! Wat voor een belabberde grootvader zou ik zijn als ik niet voor mijn eigen kleindochter zou willen zorgen?'

Hij gaf me een vette knipoog en ik glimlachte dankbaar naar hem.

Ik had dagenlang aan de hoofden van mijn ouders gezeurd en na lang tegenspartelen, hadden ze uiteindelijk toegestemd in mijn voorstel. Ik zou hier blijven en tijdens hun afwezigheid bij opa intrekken. Hij woont vlak bij ons huis en daardoor zou ik op mijn eigen school kunnen blijven. Zelfs school had ik opgenomen in mijn argumentatie. Ik ging er dolgraag naartoe, had een emotionele band met mijn juf en ik moest er niet aan denken al mijn vrienden maandenlang te moeten missen. De eerste twee argumenten zijn lichtelijk overdreven, want ik ben niet echt dol op school en onderwijzeressen zullen nooit tot mijn vriendenkring behoren, maar nood breekt wet en overdrijven is niet helemaal liegen. Toen ik opa mijn actieplan had voorgelegd, aarzelde hij geen seconde. Erover nadenken hoefde hij niet eens.

'Natuurlijk mag je bij mij komen logeren,' antwoordde hij. 'Mijn huis is toch veel te groot voor mij alleen. Het is trouwens een eeuwigheid geleden dat ik voor het laatst een vrouwspersoon in huis had.' Hij doelde daarbij natuurlijk op mijn grootmoeder, die al jaren geleden overleden was. Opa verheugde zich er duidelijk op.

Krokodillentranen

Ik moet toegeven dat ik enkele tranen heb gelaten toen mijn ouders vertrokken. Hoewel ze veel te weinig rekening met me houden en paps zijn stomme carrière overdreven belangrijk vindt en hoewel mams zo ongelofelijk stom is dat ze met hem mee naar Afrika verhuist, hou ik zielsveel van hen. Ik zal hen ongetwijfeld missen, maar ook weer niet zo erg dat ik liever met hen was meegegaan.

Mijn grootvader hield mijn hand vast toen we mijn ouders uitzwaaiden op het vliegveld. Ze passeerden de douanebeambte en verdwenen daarna in een lange gang. Het zou twaalf maanden duren voor ik hen weer terug zou zien. Ik verbeet mijn tranen, want opa verafschuwt dat gejank.

'Als je huilt, stromen alle krachten uit je lichaam,' beweert hij altijd. 'En een traan boordevol energie helpt de wereld niet vooruit.'

Hij heeft dan ook geen traan gelaten toen oma stierf. Tenminste, in ieder geval niet als ik het kon zien.

De villa bij het bos

Opa woont in een schitterende villa. Die bevindt zich aan de rand van een uitgestrekt bos dat helemaal aan hem toebehoort. De woning zelf is veel te groot voor een oude man alleen; gewoonweg onoverzichtelijk om een woonhuis te hebben dat zeventien kamers telt. Ik overdrijf niet: zeventien! Een eetkamer met open haard, een zithoek – eveneens met haardvuur – twee kantoren, een keuken – ook al met open haard – een bijkeuken, een grote en een kleine badkamer, twee bergplaatsen en maar liefst zeven slaapkamers annex logeerkamers! En dan nog een reusachtige zolderverdieping waar hij nooit komt. Echt waar, het is gigantisch!

Ik woon nu alweer drie weken bij opa en ik heb het best naar mijn zin. Ik mis mijn vader en moeder wel een beetje, maar ook niet ontzettend. Dat kun je als buitenstaander misschien niet begrijpen, maar als je een grootvader zou hebben als de mijne, zou je begrijpen wat ik bedoel. Na schooltijd zit hij me steevast op te wachten in de grote keuken. We drinken dan samen vruchtenthee en eten een plakje cake. Iedere zaterdagmiddag bakt opa er een, elke week met een andere smaak. De eerste was een gemarmerde chocoladecake, de tweede een superlekkere, met ahornsiroop gezoete appelcake en deze

week is het er eentje met zachte abrikozengelei in het midden. Verrukkelijk! Opa wil nooit verklappen wat de volgende zal zijn. Hij houdt de ingrediënten angstvallig geheim en terwijl hij aan het bakken is, moet ik een boek lezen in de zithoek. Aan literatuur geen gebrek, overigens. Opa heeft een van de zeven slaapkamers omgetoverd tot een indrukwekkende bibliotheek.

Verder hebben we samen een kamer ingericht: de Afrika-kamer. Ter ere van mijn ouders, of eigenlijk speciaal voor mij. Opa zegt dat ik hier naartoe moet gaan als ik hen erg mis. De kamer staat vol met herinneringen uit de tijd dat opa nog in de Congolese hoofdstad woonde. En er staat een oud ledikant van donkerbruin hout met een muskietennet erboven.

'Dat houdt die verdomde muggen van je lijf,' mompelde hij toen we met de inrichting bezig waren.

Tja, mijn opa gebruikt nogal wat krachttermen, dat moet je erbij nemen.

'Die malariamuggen zijn de ergste. Overdag zie of hoor je ze niet en zodra de avond valt, zijn ze daar. Onzichtbaar als een bende rovers en maar prikken waar ze je raken kunnen. Ooit malaria gehad, Auke? Nee, natuurlijk niet, want jij hebt Europa nog nooit verlaten. Ik wel daarentegen, dus ik kan erover meepraten. Maandenlang was ik uitgeschakeld. Altijd maar uitgeput en futloos. Soms had ik de kracht niet om naar het toilet te gaan. En voortdurend die ellendige koorts. Wat was ik gelukkig toen die verduivelde ziekte eindelijk uit mijn lijf verdwenen was!'

'Maar hier zijn toch geen malariamuggen,' onderbrak ik hem, want zoals gezegd moet je opa onderbreken, wil je niet tot het einde der tijden naar zijn verhalen hoeven luisteren.

'En dan nog?' vroeg hij terwijl hij me aankeek alsof ik net de grootste onzin ter wereld had uitgekraamd. 'Is dit een Afrika-kamer of is het er geen? Luister goed naar deze globetrotter, Auke. Een Afrika-kamer zonder muskietennet is als een banketbakkerij zonder oven. Hoe belachelijk zou dat zijn? Mevrouw, voor mij een volkorenbrood alstublieft. Komt eraan, meneer. Ik vraag mijn echtgenoot – de bakker – het even te bakken in de oven die we niet hebben. Begrijp je? Dat slaat toch nergens op? Geloof me, Auke, het muskietennet is onontbeerlijk. Je weet trouwens nooit of er op een van die vliegtuigen niet stiekem zo'n verdomde malariamug meereist, die dan de weg hierheen vindt en zich in onze Afrika-kamer vestigt. Logisch, want in deze omgeving zou het beestje zich meteen thuis voelen.'

'Prima, opa. Het muskietennet moeten we ophangen,' haastte ik me te zeggen om de woordenvloed te stoppen.

'Je bent een verstandige meid, Auke.'

Verder staat er in de kamer een oude secretaire. Dat is een soort bureau dat je met een schuiflade kunt afsluiten. Een stoel, een oude leunstoel bedekt met dierenvellen – echte antiloop volgens opa – een werpspeer met witte pels om het handvat, angstaanjagende demonenmaskers aan de muren en een grote buffetkast met allemaal houten beeldjes erop. Boven de secretaire hangt een grote wereldkaart. Met een kopspeld heeft opa aangeduid waar mams en paps nu zijn.

Het bos van de wereld

'Vergis je niet, Auke. In dit bos kun je de hele wereld doorkruisen. Het is magisch, zeg ik je.'

Ik antwoord niet onmiddellijk en denk er het mijne van terwijl ik om me heen kijk.

'Au!'

'Sorry, opa,' stamel ik vlug, alsof ik bang ben dat hij mijn gedachten kan lezen.

'Verdorie, verdraaid nog 'an toe,' gromt opa zonder me te horen. 'Ik hak je lange tenen er nog eens af, hoor je me!'

Hij mept met zijn wandelstok op de uitstekende wortels van een gigantische beuk. Blijkbaar heeft hij zijn teen gestoten en is hij ontzettend boos op de beukenboom die wijselijk zijn mond houdt. In het bos van de wereld moet je uit je ogen kijken, lijkt de boom te denken.

Voor de zoveelste keer heeft mijn voornaam het me weer gelapt. Elke keer wanneer iemand zich bezeert en luid 'au' roept, schrik ik op. Hadden mijn ouders me nu echt geen andere voornaam kunnen geven? Wie heet er nu in hemelsnaam Auke? Het zal je overkomen. Mijn grootvader zal daar geen last van hebben: hij werd Theodorus-Hypoliet gedoopt. Gelukkig mag ik hem doodgewoon opa noemen.

'Het bewijs is nog maar eens geleverd, Auke. Dit bos krioelt van de verraderlijke hinderlagen. Ontelbare keren ben ik langs dit paadje gelopen en iedere keer probeert die knorrige, oude beuk me te tackelen. Gewoon omdat hij wil verhinderen dat ik alle geheimen van het bos ontsluier. Nou meid, ik kan je verklappen dat het hem niet zal lukken. Hoe verdraaid goed die bomen ook kunnen zwijgen, ik ontfutsel ze hun geheimen een voor een. Deze lafaard hier is misschien honderdvijftig jaar oud. Je zou toch denken dat hij zulke kinderachtige streken heeft afgeleerd, maar niets is minder waar! Eigenlijk is hij verbolgen, omdat ik heb ontdekt dat dit bos een doorgang naar de rest van de wereld is. Elk werelddeel heeft hier zijn vertegenwoordiging en er is in dit land niet één ander bos waarvan zoiets kan gezegd worden! Iedereen wil maar reizen: naar het zuiden, naar het noorden ... Maar voor mij hoeft dat allemaal niet. Mijn bos heeft het allemaal in zich. Dat is pas geweldig, niet?'

Eerlijk gezegd begrijp ik geen sikkepit van wat opa bedoelt, maar ik durf het niet te zeggen. Theodorus-Hypoliet beleeft weer een van zijn vaak voorkomende spraakwatervalmomenten en dan is het het beste te zwijgen en te knikken. Tenminste, tot je iets hebt gevonden om hem af te leiden.

'Kun je deze paddenstoel opeten, opa?' vraag ik in een poging zijn redevoering een halt toe te roepen.

De spraakwaterval droogt ogenblikkelijk op en opa bestudeert de zwam die ik aanwijs. Hij smakt een paar keer alsof hij de paddenstoel letterlijk proeft en klakt dan met zijn tong tegen zijn verhemelte.

‘Hola, Auke. Dat lijkt me geen verstandige keuze,’ zegt hij met een bedenkelijk gezicht. ‘Ontegensprekelijk weer een van die valstrikken van het bos. Begrijp me niet verkeerd, Auke. Ik woon hier heel graag en ik hou van mijn bos, maar je mag het niet zomaar vertrouwen. Indringers zijn hier ten dode opgeschreven, begrijp je?’

Ik begrijp er helemaal niets van, denk ik bij mezelf.

‘Dat is een satansboleet, lieve kleindochter. Dodelijk giftig! Hij vertoont gelijkenissen met eekhoorntjesbrood, dat prima eetbaar is, maar deze hoed is wat blauwachtig en eekhoorntjesbrood is bruiner. Vergeet dat nooit,’ zegt opa terwijl hij bezwerend zijn vinger voor mijn neus houdt.

We lopen verder, maar ineens draait opa zich om en schreeuwt naar de paddenstoel: ‘Aardig geprobeerd, stinkende boleet, maar Theodorus-Hypoliet neem je niet in de maling! Ik neem mijn kleindochter in bescherming. Dus, je kunt haar beter niet proberen te verleiden met je schurftige paddenstoelenvlees of ik zal je …’

Dreigend houdt opa zijn rechtervoet boven de giftige paddenstoel alsof hij hem wil vertrappen. Daarna draait hij zich om en loopt gniffelend verder.

‘Heb je gezien hoe hij ineenschrompelde van schrik? Maak je maar geen zorgen, Auke. Zolang je grootvader bij je is, ben je veilig in dit bos.’

De grote dierenvriend

'Ja, wat hadden ze dan gedacht? Hopla, we verhuizen naar Congo, een jaartje in het aardse paradijs wonen? Had ik hen niet gewaarschuwd, dan?'

Opa staat hoofdschuddend naast me terwijl ik de e-mail van mijn moeder herlees. Ze is buitengewoon teleurgesteld: Kinshasa is helemaal anders dan ze zich had voorgesteld. Het is er vreselijk smerig, overal ligt afval en het stinkt er naar benzine- en dieseldampen. En met die kleverige warmte zweet ze zich te pletter.

'Ja, hallo! Ze zitten vlak bij de evenaar. Als dat niet een beetje warm mag zijn,' zeurt opa. 'Je was erbij toen ik hen waarschuwde, Auke.

De hoofdstad is ernstig in verval, net als de rest van dat land. Intriest, maar het is niet anders. De pracht en praal van de koloniale tijd is allang voorbij. Let op mijn woorden.

Als ze niet uitkijken, zitten ze met hun auto vast in de modder. Opgelet, en niet in de brousse, hè! Nee nee, gewoon in de stad. Vooral wanneer je de iets buiten het centrum gelegen sloppenwijken bezoekt, veranderen de straten in diepe modderpoelen. In het regenseizoen in ieder geval, want buiten de natte maanden is het er werkelijk kurkdroog, maar dan zie je weer geen hand voor ogen door het opvliegende stof.'

Grootvader zal wel helemaal gelijk hebben, maar ik heb toch een beetje medelijden met mijn moeder. Het was tenslotte niet haar keuze om naar een ander werelddeel te vertrekken. Aan de andere kant, ze had toch ook kunnen zeggen dat ze niet mee wilde? Net als ik?

'Kun je je eigenlijk wel voorstellen dat Marjolein, je moeder bedoel ik uiteraard, een bloedeigen dochter van me is? Van mij, Theodorus-Hypoliet Vanderkassel, de grootste wereldreiziger van de vorige eeuw? Toegegeven, dat is niet helemaal correct, maar voor mij had het Afrikaanse continent geen geheimen, zoveel kan ik je wel vertellen.'

'Ze heeft een afkeer van muggenmelk,' lees ik voor. 'Van de geur alleen al wordt ze kotsmisselijk.'

'Muggenmelk! Maak het nou even! Denk je dat ik me ook maar één keer met muggenmelk heb ingesmeerd? Nee, meisje, je grootvader liet zijn huid bruin en hard worden in de tropische zon en daar hadden die muggen niet van terug. Gelooid leer, daar komen die mislukte vampiers namelijk niet doorheen met dat armtierige slurpslurfje van ze. Je laat je door zo'n pokkenmug toch niet op je kop zitten!'

Nu overdrijft opa wel een beetje. Hij heeft me zelf verteld dat hij malaria heeft gekregen door een muggenbeet.

'En je malaria dan, opa?' vraag ik onschuldig.

'Wie malaria, wat malaria?'

'Je zei me toch dat je door een malariamug was gestoken?'

'O, dat? Tja, misschien had ik dus toch beter muggenmelk kunnen gebruiken. Ach, wat maakt het ook uit? Ze moet die beesten gewoon vermorzelen voor ze de kans krijgen om te prikken met hun akelige steekslurf. Zal ze leren, die rotbeesten. Luister, Auke, ik heb veel respect voor alle dieren, maar niet voor zo'n onnozel, onooglijk mugje. Hoe kan God ooit die vergissing hebben begaan toen hij de wereld schiep? Die vermaledijde mormels bezorgen je alleen maar last. Satansgebroed is het! Vertel je moeder maar dat ze haar muskietennet goed dicht moet doen.'

Opa loopt de kamer uit en gaat naar de keuken. Ik hoor hem alle muggen ter wereld verwensen. Glimlachend begin ik mijn antwoord aan mams te typen. Internet vind ik werkelijk een geweldige uitvinding. Ik kan gewoon een brief schrijven naar mijn moeder aan de andere kant van de wereld zonder dat we postbodes of postduiven nodig hebben.

Zo'n duif zou wel een echte kampioen moeten zijn, denk ik bij mezelf. Ik moet oppassen dat ik niet zoals opa word. Het zou echt iets voor hem zijn om nu over die postduif en de edele sport der duivenmelkerij te gaan doordrammen. Mijn grootvader is een bijzonder vreemde snuiter, maar ik zou hem voor geen geld ter wereld willen missen.

We begrijpen absoluut dat het aanpassen niet vanzelf gaat, mams, schrijf ik. *Vooral opa, want hij heeft daar gewoond en beseft natuurlijk heel goed wat jullie nu meemaken.*

Dat hij haar een watje vindt, vertel ik niet. Daar zou ze toch niets aan hebben.

Ik kijk glimlachend naar de ingelijste foto van mijn ouders naast het computerscherm. Mijn opa mag dan geregeld een hoop praatjes verkopen, hij heeft een hart van peperkoek. Die foto zal daar blijven pronken tot ze terugkeren. Zeker weten.

'Au!'

Ik schrik me een hoedje en spring bijna op om meteen naar de keuken te rennen, maar realiseer me tegelijkertijd dat opa niet om mij roept, maar zich hoogstwaarschijnlijk weer heeft bezeerd. Het irritante is dat ik er telkens weer intrap.

Ik schakel het computerscherm uit en loop naar de boekenkast. In bijna elke kamer heeft opa een uitgebreide boekenverzameling. De bibliotheekkamer is te klein. In sommige kamers liggen de naslagwerken in stapeltjes op de grond omdat de planken van de boekenkasten uitpuilen. Torens van kennis en wijsheid, noemt hij die wankele stapels.

'Au!'

Ofwel loopt hij met zijn hoofd van de ene muur tegen de andere, of hij roept me toch.

'Au!'

'Ja, opa! Ik kom eraan!'

'Wat is er gebeurd?' vraag ik wanneer ik de keuken binnenkom.

Verbaasd zie ik dat opa zijn laarzen en donkergroene regenjas heeft aangetrokken. Dat betekent dat hij klaar is om naar het bos te gaan.

'Ha, Auke. Ik vreesde al dat je doof geworden was. Ik heb minstens zeven keer geroepen.'

'Sorry, opa. Ik heb je niet gehoord.'

'Maakt niet uit, meid. De procentuele kans dat je doof wordt op je elfde is trouwens behoorlijk miniem, weet je? Het gehoororgaan van een menselijk ...'

'Gaan we het bos in, opa?' onderbreek ik hem. Ik heb geen zin om te luisteren naar een uiteenzetting over het verval van het menselijke lichaam. Soms word ik buitengewoon moe van al zijn gepraat.

'Inderdaad, trek je regenjas en rubberlaarzen maar aan. We gaan deze flinke rakker voorzien van de gepaste garnering,' zegt hij terwijl hij naar de scharrelkip wijst, die op het aanrecht prijkt. Hij loopt ernaartoe en tikt tegen een van de billen.

'Heb je het koud, kereltje?' lacht hij. 'Je hebt kippenvel.'

Hij vindt zijn eigen grapje zo geweldig, dat hij bijna stikt van het lachen. Het duurt een eeuwigheid voor hij is uitgeproest en hijgend steunt hij op het aanrecht.

‘Straks heb je het lekker warm, hoor jongen. Dan kom je uit de oven en ben je veranderd in *poulet à la grand-père*. Maar eerst gaan we paddenstoelen plukken. Kom Auke, we gaan ervandoor. We laten onze vriend even rustig liggen.’

Over opa's en bonobo's

Opa is terecht trots op zijn grootvaderlijke gevogelteschotel, zoals hij zijn wereldberoemde *poulet à la grand-père* ook wel noemt. Verschillende soorten bospaddenstoelen prijken op het bord in een dikke, donkere saus.

'Totaal iets anders dan van die belachelijke champignons uit de supermarkt,' zegt hij. 'Begrijp jij nou dat ze die dingen in een blauw, plastic bakje verpakken? Alsof het zeevruchten zijn. Blauw associeer je toch met water? Of denken ze in de supermarkt dat bomen blauw zijn? Ach, ze doen maar,' zegt hij, bedachtzaam knabbelend aan een kippenvleugeltje. 'Zolang ik mijn bos heb, kan het me allemaal niets schelen.'

Het uitzoeken van de paddenstoelen heeft ons ruim een uur gekost. Als een ervaren schoolmeester legde opa me uit welke exemplaren eetbaar waren en welke niet. De satansboleet heeft hij opnieuw de schrik van zijn leven bezorgd door er dreigend met zijn schoenzool boven te gaan hangen. De zwam is werkelijk levensgevaarlijk, maar toch wil opa hem niet uit zijn bos verbannen.

'Als hij hier groeit, dan is dat met een reden,' beweert hij.

Volgens hem is er op de hele aardbol maar één soort

schepsels dat geen reden van bestaan heeft, en dat zijn muggen. Midden in het najaar ondervinden we daar tenminste geen last van. Een boodschap waar mijn moeder nu natuurlijk weinig aan heeft, want waar zij momenteel woont, is het vergeven van die vervelende opdondertjes.

Bijna dagelijks mail of chat ik met mijn moeder. Ze heeft veel vrije tijd, want papa heeft vaak werkzaamheden buitenshuis. Ik vraag me af of ze haar beslissing om met hem mee te gaan al niet betreurt. Ze zinspeelt er nauwelijks op, maar wanneer ze vertelt dat ze me mist – en dat doet ze elke keer als we mailen – heb ik daar toch zo mijn vragen over. Vreemd genoeg mis ik hen steeds minder. Ik heb gewoon aanvaard dat we een jaar lang gescheiden zullen zijn. Opa is overigens een geweldige huisgenoot. Toegegeven, al zijn verhalen zijn regelmatig vreselijk vermoeiend, maar vervelen doe ik me in ieder geval nooit met die kletskous in mijn buurt.

Als ik via de computer met mams praat, staat hij vaak achter me over mijn schouder mee te kijken naar het beeldscherm en geeft mompelend commentaar. Telkens opnieuw hamert hij erop dat ik mams moet verzekeren dat hij me uitstekend verzorgt, want ze mag zich geen zorgen maken om mij. Volgens mij heb ik de alleraardigste grootvader op deze wereldbol.

'Heb ik je al verteld van mijn bananenavontuur met de bonobo?'

Opa zit wat onderuitgezakt in de leunstoel naast mijn bed. Het is tijd om te gaan slapen en hij houdt ervan om me onder te stoppen en dan nog iets te vertellen. Waarschijnlijk realiseert hij zich niet dat tienermeisjes daar geen behoefte aan hebben, maar eerlijk gezegd vind ik het lekker gezellig. Mij zal je dus niet horen klagen dat de leeftijd voor bedverhaaltjes eigenlijk ver achter me ligt.

'Ik woonde nog in Congo. Ik heb niet de hele tijd in de hoofdstad Kinshasa gewoond. Daarvoor had ik een prachtige woning in de provincie. Ver verwijderd van alle drukte. Ik herinner me perfect dat het drukkend warm was, broeierig zelfs. Ik genoot van een welverdiende siësta op de open veranda van mijn villa. Naast me stond een tafeltje waarop enkele tijdschriften lagen en een banaan. Ik was dol op bananen. Ze groeiden er overal in gigantische trossen aan de bomen, dus je hoefde ze zelfs niet te gaan kopen.

Ineens verscheen er in de tuin een bonobo. Nu zaten daar meerdere apenfamilies, maar meestal bleven ze uit de buurt wanneer er mensen waren. Dat apenbeest liep de veranda op en voor ik kon reageren, griste hij de banaan van mijn tafeltje. Ik kon mijn ogen nauwelijks geloven. De onbeschaamdheid! Had dat harige beest een tropisch regenwoud vol bananen en moest die bavianenkop uitgerekend mijn banaan hebben! Ik ben doodbraaf, Auke, maar van mijn spullen moeten ze afblijven. Aap of geen aap, wat van mij is, dat is van mij.

Ik begon dat mormel de huid vol te schelden, maar hij liep gewoon zo'n vijf meter bij me vandaan en maakte aanstalten om de banaan te pellen. Maar dan kende hij Theodorus-Hypoliet Vanderkassel nog niet. Ik schoot uit mijn schommelstoel, waardoor het ding zo geweldig begon te wiebelen dat het tegen de muur sloeg, en stormde op de bonobo af. Dat creatuur zette het natuurlijk op een lopen en sprong krijsend in de dichtstbijzijnde boom. Hij slingerde van tak tot tak en ik ging vloekend achter hem aan. Natuurlijk kwam die aap veel vlugger vooruit, maar ik wilde me niet gewonnen geven. Het zweet gutste uit al mijn poriën en al gauw crepeerde ik van de dorst, maar ik moest en ik zou mijn banaan terughebben.

Die hersenloze oerwoudbewoner mocht dan wel vlugger en leniger zijn, tegen mijn verstand moest hij het toch afleggen, hoor. Op een gegeven moment bleef hij boven in een boom zitten en ik zweer je dat hij een grijns op zijn gezicht had. Ik heb een stok opgeraapt en die uit alle macht in zijn richting geslingerd. Natuurlijk heb ik dat klereding niet geraakt, maar dat achterlijke schepsel aapte me na en gooide de banaan naar mijn hoofd. En zo had ik eindelijk mijn rechtmatige eigendom terug,' besluit opa zijn verhaal.

Hij glimt van trots.

'Heb je hem nog opgegeten?' wil ik weten.

'Wat? Die bonobo?'

'Nee, natuurlijk niet,' giechel ik. 'Die banaan.'

Opa kijkt me ondeugend aan, dankbaar omdat ik gelachen heb om zijn grapje.

'Zeker weten! Ik heb die banaan ter plaatse gepeld en hem met veel smaak verorberd, hoewel hij aan alle kanten geblutst en beurs was. Je had het gezicht van dat aapbeest moeten zien. Ik denk dat hij zich realiseerde dat hij oog in oog stond met de intelligentste mens die op dat moment in Afrika vertoefde,' antwoordt opa glimlachend.

'En was die banaan eigenlijk al die moeite waard? Ik bedoel, je had toch evengoed een andere kunnen plukken?'

'Natuurlijk niet en natuurlijk wel. Ik had zeker een verse kunnen plukken en die was ongetwijfeld lekkerder geweest, maar het ging om het principe, Auke. Niemand neemt iets van me af dat aan mij toebehoort, zelfs geen onderontwikkelde bonobo. Knoop dat maar goed in je oren. En ga nu maar lekker slapen.'

Mijn grootvader komt voorzichtig en enigszins moeizaam overeind en drukt een kus op mijn voorhoofd.

'Wat dacht dat beest wel? Mij bestelen? Hij mag nog blij zijn dat ik hem niet heb gevild,' mompelt hij, terwijl hij mijn slaapkamer uitloopt.

Hij knipt het licht uit en laat de deur op een kiertje, zoals ik het graag heb.

Glimlachend sluit ik mijn ogen. Ik hou echt zoveel van mijn opa.

Viva Italia!

'Auke, wat dacht je van een Italiaanse avond?'

'Je lust toch helemaal geen Italiaans eten, opa?'

'Dat had je gedacht, Auke. Als je daarmee natuurlijk zo'n afgeplatte pannenkoek met tomaten bedoelt, dan heb je gelijk.'

'Dat noemen ze een pizza, opa,' zeg ik lachend.

'Nou, het interesseert me echt geen ene moer hoe ze zo'n ding noemen, maar ik kan me niet voorstellen dat je zo'n in de lucht gezwierde, platte schijf met plezier door je keelgat wurmt. Aan de randen is het dan meestal nog aangebakken ook.'

Aan de vurige blik in zijn ogen kan ik zien dat hij weer geweldig goed op dreef komt.

'Misschien net goed genoeg voor van die verwende toeristen die hun luie, vadsige achterste van terrasje naar terrasje verplaatsen, maar een wereldreiziger als ik heeft een voedzame maaltijd nodig.'

Met ondeugend glinsterende oogjes kijkt mijn grootvader me aan.

'Vanavond maak ik rundvlees, *manzo*, in rode wijn.'

Ik trek vragend mijn wenkbrauwen op en open mijn mond om iets te zeggen, maar opa is me voor: 'Ja, jongedame, in rode wijn, *vino rosso*! Maar niets tegen je ouders zeggen, hè.'

Door de samenzweerderige knipoog lijkt het even alsof we twee kinderen zijn en niet een bejaarde weduwnaar met zijn kleindochter.

'En kun je dat klaarmaken, opa?'

Gemaakt verontwaardigd kijkt hij me aan: 'Of ik dat gerecht kan bereiden? Noem me eens één recept dat niet tot een godenmaaltijd wordt onder mijn kunstige handen? Trouwens,' vervolgt hij glimlachend, 'daarin staat het recept.'

Hij wijst naar de boekenplank naast het aanrecht, waar het Italiaanse receptenboek staat te blinken.

'Maar dan moeten we ons wel *sito presto* naar de supermarkt reppen, Auke. Maak je maar klaar, dan haal ik vast mijn oude bolide van stal. *Andiamo*! Voortmaken!'

Terwijl opa naar de garage loopt, zoek ik een velletje papier en een vulpotlood. Ik pak het kookboek van de boekenplank en zoek *Rundvlees in rode wijn* op. De laatste dagen heb ik gemerkt dat opa nogal eens iets vergeet, dus ik schrijf de ingrediëntenlijst over en haast me naar buiten.

De auto is een onvervalst museumstuk. Hij komt nog zelden uit de garage, maar telkens wanneer we ermee door het dorp rijden, hebben we bekijks. Ik geloof werkelijk niet dat er ergens op de aardbol nog een tweede exemplaar rondrijdt. Opa claxonneert wanneer hij een bekende ziet om vervolgens glimlachend zijn hand op te steken. Nog zo'n overblijfsel uit zijn periode in Afrika.

Daar toeteren ze voortdurend: om goedendag te zeggen, om iemand door te laten, om zichzelf een doorgang te forceren, om te laten merken dat ze zich ergeren of om iemand te bedanken. Ieder excuus wordt aangegrepen om op die claxon te drukken.

In de supermarkt wordt al snel duidelijk dat ik het ingrediëntenlijstje niet voor niets heb gemaakt. Opa draalt wat afwezig bij de verse vleeswarenafdeling. Hij maakt een besluiteloze indruk.

'Wat scheelt eraan, opa?'

Hij kijkt me aan alsof hij ervan schrikt me hier te zien.

'O, Auke … Wat ging ik ook alweer halen?' vraagt hij aarzelend.

'Rosbief, opa. Voor je gerecht.'

'Gerecht?' vraagt hij, terwijl hij me onderzoekend aankijkt. Dan is het alsof er een lichtflits door zijn hoofd gaat: 'Natuurlijk! Rundvlees in rode wijn! Was ik me toch even verstrooid, zeg.'

Hij kiest een mooi uitziend stuk vlees uit en legt het voorzichtig in zijn winkelwagentje. We lopen langs de groenten en kopen rode uien, knoflook, wortelen, selderij, peterselie en verse oregano. Olijfolie, zout en peper hebben we thuis voldoende, zegt opa en laurierblaadjes zijn er genoeg. We laden nog water en frisdrank in onze winkelwagen en dan haast opa zich naar de kassa.

'Vergeet je niets, opa?' vraag ik hem.

'Wat zou ik vergeten zijn, Auke? Niets, hoor. We

hebben alle ingrediënten voor een geslaagde Italiaanse avond.'

'Zeker weten, opa?' vraag ik plagend.

'Absoluut,' antwoordt hij en daarbij knikt hij zo nadrukkelijk dat ik bang ben dat zijn hoofd er zal afvallen.

'Wat ga je klaarmaken?'

Nu wordt hij duidelijk een beetje ongeduldig: 'Nou, rundvlees in rode wijn, natuurlijk! Dat weet je toch?'

'En waar is de wijn, opa?' vraag ik fijntjes.

'Wel, heb je me nou!' roept hij uit. 'Wat is mijn hoofd vandaag toch een echte gatenkaas! *Chianti*, Italiaanse rode wijn. Als ik jou toch niet had, Auke.'

In zichzelf mopperend zet hij koers naar de wijnafdeling en kiest de *Chianti* die hij nodig heeft.

Onderweg naar huis vraag ik me af of dit wel normaal is. Vooral toen hij leek te schrikken dat ik bij hem was, heeft hij me ongerust gemaakt. Ach, misschien beeld ik me maar wat in. Iedereen is wel eens verward.

'*Qualcosa da mangiare*? Iets te eten?' vraagt mijn grootvader minzaam glimlachend, terwijl hij als een geroutineerde kelner het eten serveert. Het Italiaanse feestmaal is heerlijk en opa is zijn eigen, oude zelf. Hij praat honderduit en vertelt me verhalen over de reizen die hij heeft gemaakt naar Italië. Wanneer mijn grootvader een Italiaanse avond organiseert, is die vanzelfsprekend gestoffeerd met de nodige ervaringen.

'Zoals mijn reis naar Venetië. Daar was ik niet eerder geweest en veel vrienden hadden me aangeraden om daar toch eens naartoe te gaan. "Je hebt het de hele tijd over Afrika," zeiden ze, "maar de mooiste stad ter wereld ligt in Italië. Dat is Venetië. *Venezia é bellissima*!" Natuurlijk hoefden ze me dat geen tweede keer te zeggen, dus, ik naar Venetië. Geloof het of niet, Auke, maar de straten zijn daar kleine rivieren. Allemaal waterloopjes die de verschillende wijken met elkaar verbinden, en centraal gelegen het San Marcoplein. Waren er net op dat moment overstromingen! Al die ellendige beken traden buiten hun oevers en dat hele San Marcoplein stond blank. Nou moet je weten dat het op dat plein altijd krioelt van de duiven. Die beesten huppelen daar de hele dag rond en pikken kruimels op en andere etensrestjes die de toeristen achterlaten. Veel mensen strooien opzettelijk broodkruimels om die beesten te lokken.

Ik liep dus met laarzen aan over dat plein. Het water kwam bijna tot aan mijn knieën en liep dus gewoon mijn rubberlaarzen in. Ik kan je verzekeren dat ik daar al niet echt heel vrolijk van werd. Kwamen die vliegende beesten op de koop toe op mijn hoofd zitten omdat ze geen andere plaats vonden om rond te trippelen. Ja, hallo, is mijn hoofd misschien een landingsbaan? Ik heb me daar de hele tijd lopen maaien met mijn armen om die irritante beesten van me af te slaan en alsof dat niet voldoende was, viel er ook nog een grote kledder vette duivenpoep op mijn kruin.'

Ik lach hartelijk om het levendige beeld van mijn opa die wanhopige pogingen doet om te ontkomen aan de Venetiaanse duiven.

'Ja, giechel maar. Ik kan je wel verzekeren dat ik bij mijn thuiskomst mijn vrienden eens ongezouten de waarheid heb gezegd. Venetië de allermooiste plek op aarde … Laat me niet lachen. Ik hoef echt niet naar Italië om ondergescheten te worden!'

Ik hik nu echt van het lachen. Blijkbaar werkt het aanstekelijk, want opa staakt zijn gemopper en begint te grinniken.

'Toch moet ik toegeven dat die Italianen enkele overheerlijke gerechten hebben,' mompelt hij, terwijl hij met zijn vinger het laatste beetje wijnsaus uit de pan likt. 'Maar hun opdringerige duiven mogen ze houden. *No grazie*.'

Ontdekkingsreizigers

Het is niet bij die ene keer in de supermarkt gebleven. Opa lijkt zich steeds vaker dingen niet te herinneren. Meestal duurt het maar een paar tellen, maar het komt steeds frequenter voor. Gewoonlijk probeert hij zo'n voorval met een grapje te minimaliseren.

'Dat heb je nu eenmaal als je ouder wordt, Auke,' grapt hij dan, terwijl hij tegen zijn schedel tikt. 'Hierboven wordt het een echte gatenkaas. Maar ach, zolang ik me nog herinner dat jij mijn allerliefste kleindochter bent, is er helemaal niets aan de hand, toch?'

Hij tovert dan zo'n ontwapenende grijns op zijn gezicht dat ik niet anders kan dan mee lachen.

Niettemin maak ik me zorgen. Mama ermee lastigvallen, wil ik niet. Trouwens, wat heeft ze er nou aan om dat te weten? Ze zou zich alleen maar zorgen maken daar in Congo. Mijn grootvader vergeet af en toe iets. Zo wereldschokkend is dat nou ook weer niet. Ik denk dat ik toch wat van zijn overdrijvingsgen in mijn bloed heb zitten.

'Ga je mee het bos verkennen, Auke? Hoogste tijd dat ik je een stukje van de wereld laat zien.'

Met grote ogen bekijk ik de man die voor me staat. Dat is niet mijn grootvader, maar de grote Theodorus-

Hypoliet Vanderkassel, ontdekkingsreiziger in donker Afrika. Beige safaribroek en dito hemd, zware laarzen met verstevigde neus en een heuse tropenhelm. Aan zijn rechterheup bengelt een gevaarlijk uitziend kapmes.

'Wat gaan we doen, opa?' vraag ik voorzichtig.

'Afrikaans grondgebied verkennen. Wat dacht je daarvan?'

Hij houdt zijn kin omhoog en trekt een ernstig gezicht.

'Dan kun je vanavond aan je moeder vertellen waar ze zoal op moet letten wanneer ze de Congolese rimboe betreedt.'

Zonder langer te wachten, doet hij de buitendeur open en loopt naar buiten. Ik trek haastig mijn laarzen aan en gris mijn warme fleecejack mee. Afrika of niet, buiten is het herfst en hoegenaamd niet warm.

Al gauw heb ik hem ingehaald, en incasseer meteen een eerste berisping. Zijn stem klinkt vlijmscherp en onverzoenlijk.

'Nooit achterblijven in het oerwoud, meisje. Hier zijn we op elkaar aangewezen. Wie achterblijft, brengt zichzelf en zijn medereizigers – en dus de hele expeditie – in gevaar. Onthoud dat goed.'

Ik beloof dat ik eraan zal denken en volg hem over kronkelende paadjes door het bos. Voor de oude beuk met de uitstekende wortels blijft hij staan.

'Hou deze gluiperd in de gaten, Auke. Hij vindt het helemaal niet leuk dat ik hem zijn geheimen ontfutsel.

Maar dat is zijn probleem, niet het mijne,' vervolgt hij. 'Kom, we trekken verder.'

Hij zet er stevig de pas in, alsof hij de bomen en zichzelf wil wijsmaken dat hij nog lang geen eenenzeventig is. Na een poosje blijft hij weer stilstaan en tuurt gespannen voor zich uit. Het is onduidelijk wat daarvoor de aanleiding is, maar ik voel zijn spanning wanneer hij zijn rechterarm opsteekt.

'We zijn er,' fluistert hij geheimzinnig. 'Zie je het?'

Iets zien? Ik weet niet eens waar ik zou moeten kijken. Met zijn twee armen gebaart hij voor zich uit en volgt een denkbeeldige, horizontale lijn.

'De evenaar.'

Het woord komt er bijna eerbiedig uit.

'Dit is een plechtig moment, Auke, want tot op vandaag was ik de enige ter wereld die wist dat de equator ook hier loopt. En nu bezit jij deze kennis ook. Wil je Afrika bereiken, dan is het van uitzonderlijk belang dat je over deze onzichtbare lijn heen springt. Stap je op de evenaar, dan kom je nergens.'

Om zijn woorden kracht bij te zetten, neemt hij een korte aanloop en springt vlotjes over de ingebeelde grens. Ik speel zijn spel mee en vlieg als een dartele hinde over de hindernis. Opa glimlacht me tevreden toe.

'Kijk uit!' schreeuwt hij plotseling en geeft me een geweldige duw waardoor ik pardoes in de struiken beland. Hij springt me achterna en stelt zich beschermend voor me op.

'Dat was op het nippertje,' hijgt hij.

'Wat?'

'Heb je hem niet gezien, dan? Een gigantische, op hol geslagen neushoorn. De *Diceros bicornis longipes*. Hij had ons bijna vertrapt!'

'Bedankt dat je me gered hebt, opa.'

'Geen dank, Auke. Ontdekkingsreizigers zorgen immers altijd voor elkaar.'

De avontuurlijke verkenningstocht gaat verder en bij de vijver blijft grootvader staan. Ik kan me niet herinneren hoe vaak we al langs deze grote waterplas gewandeld hebben. Vroeger al, toen oma nog leefde. We hadden zelfs een rubberbootje waarmee ik het water op mocht. Alleen als papa of opa in de buurt waren, anders was het te gevaarlijk. Op een dag kwam er echter een grote scheur in de bodem toen ik tegen een in het water hangende tak voer. Het lekgeslagen vaartuig begon te zinken en mijn vader moest tot aan zijn heupen het water in om me te redden. Het bootje werd nooit meer vervangen.

'Het Victoriameer, *Victoria Nyanza*,' zegt opa apetrots terwijl hij met zijn arm een wijds gebaar maakt, dat me ervan moet overtuigen dat deze vijver een kilometers breed meer is. 'Je kunt hier kolossale vissen vangen, wist je dat?'

Ik schud mijn hoofd. Voor zover ik weet, leven er in deze poel alleen maar groene kikkers en kleine vuursalamanders, maar opa geniet zichtbaar van onze ontdekkingsreis en ik wil zijn vreugde niet bederven. Trouwens, ik vind het zelf ook best gezellig. We merken een monniksgier op, die – vermomd als een kraai – vanuit een kaal wordende boom naar ons zit te kijken.

'Ja, kijk maar goed, kaalgeplukte lijkenpikker! Aan ons zal je nog lang geen maaltijd hebben, hoor!'

Wat verder komen we twee giraffen tegen en een kudde lierantilopen. Wanneer opa een jachtluipaard in het struikgewas vermoedt, trekt hij onbevreesd zijn kapmes. Hij is vastbesloten om onze huid zo duur mogelijk te verkopen. Wanneer hij een stap dichterbij zet, gaat het konijn er als een haas vandoor.

'Haha, die roofdieren beseffen heel goed wie de baas is in dit woud,' roept opa triomfantelijk.

Voortdurend prent hij me in waarop ik moet letten en hoe ik sporen van dieren kan herkennen. Zijn verbeeldingskracht overtreft de mijne ruimschoots, maar het is heerlijk om met hem door zijn bos te struinen.

Terwijl opa het avondmaal bereidt, chat ik even met mams. Ik vertel honderduit over onze knotsgekke avonturen in het Afrikaanse oerwoud en kan me voorstellen dat ze zich afvraagt wat we hier in hemelsnaam allemaal uitvreten. Ik stel haar gerust en zeg dat ik het hier reuze naar mijn zin heb. Over grootvaders vergeetachtige momenten zwijg ik consequent.

Aan tafel laat hij me weer schrikken.

'Auke, ik heb een schitterend idee!'

'Ja?'

'Morgen is het toch zondag, hè? Dus, geen schooldag!'

'Net zoals vandaag, hè opa?'

'Zondag?'

'Nee, geen school.'

'Juist, ja.'

Ik meen hem even te zien aarzelen.

'Als we nou eens een grote ontdekkingsreis door het bos maakten? Dan laat ik je Afrika zien. Je weet toch dat Afrika bereikbaar is via mijn bos?'

Ik slik even en kijk hem onderzoekend aan. Neemt hij me in de maling of meent hij het? Ik vrees dat hij bloedernstig is.

'Maar opa,' begin ik voorzichtig. 'Dat hebben we vanmiddag toch net gedaan?'

'Vanmiddag? Afrika?'

Ik knik en ongetwijfeld kan hij de bezorgdheid van mijn gezicht aflezen. Het duurt een poosje voor hij weer iets zegt.

'Ach ja, natuurlijk. Dat was me even ontschoten. Die gatenkaas, hè,' lacht hij.

Er valt een ongemakkelijke stilte.

Gatenkaas

Ik heb al twee toetsen verprutst. Juffrouw Valerie heeft me gevraagd of er iets aan scheelt, maar ik heb ontwijkend geantwoord. Gewoon een beetje tegenslag, meer niet. Ik heb haar beloofd dat ik beter mijn best zal doen. De waarheid is dat opa voortdurend door mijn gedachten spookt. Elke dag vergeet hij wel iets en soms zijn er dingen die hij zich helemaal niet kan herinneren. Alsof de gebeurtenis in een van die gaten van de kaas is gevallen en zo diep zit, dat-ie onbereikbaar is geworden. Ik vraag me af of het ernstig is en of we de huisarts moeten laten komen.

Op school heeft juf Valerie het eens gehad over ouder wordende mensen die vergeetachtig worden. *Alzheimer* noemde ze dat. Het is een soort ziekte waarbij je alles vergeet. Wie aan de aandoening lijdt, herkent soms zijn bloedeigen familieleden niet meer. De meeste patiënten komen uiteindelijk in een bejaardentehuis of verpleegtehuis terecht. Ik moet er niet aan denken! We hebben het zo goed samen.

'Hoi, Auke! Hoe was het op school?'

'Prima. Het was een interessante dag, opa.'

'Wil je een beker warme chocolademelk?'

Dat hoeft hij me maar één keer te vragen. Hij weet

best dat ik verzot ben op dat drankje.

'Wat attent van je dat je je oude grootvader eens komt opzoeken,' zegt hij glimlachend terwijl hij twee dampende mokken op de tafel neerzet. Hij schuift aan en begint geconcentreerd te blazen.

'We mogen onze lippen niet verbranden, hè,' lacht hij.

Ik kijk hem ontzet aan en mijn ogen vullen zich met tranen. Wanneer hij opkijkt en mijn waterachtige ogen ziet, vraagt hij bezorgd wat er aan de hand is.

'Ik ... ik woon toch bij jou, opa?'

De woorden komen eruit alsof mijn keel wordt dichtgeknepen. Hij kijkt me verward aan alsof hij echt niet weet wat hij hiervan moet denken.

'Woon je hier?'

Ik knik.

'En je moeder dan? Waar is Marjolein?'

'Die is toch in Kinshasa. Met paps, voor zijn werk.'

Hij blijft me verward aankijken en brengt de beker chocolademelk automatisch naar zijn mond. Hij ziet er ineens veel ouder uit.

'Au!' schreeuwt hij. 'Verbrand ik mijn lippen aan die dekselse drank. Wie serveert die nou ook zo kokendheet?'

'Misschien kun je beter even gaan rusten, opa?' vraag ik voorzichtig.

'Ja, dat is misschien geen slecht idee.'

Ik begeleid hem naar de woonkamer. Hij gaat in zijn

gemakkelijke leunstoel zitten en ik leg zijn favoriete, geruite deken over zijn benen.

'Zit je zo lekker, opa?'

'Prima, meisje,' glimlacht hij, terwijl hij zachtjes over mijn wang strijkt.

Ik geef hem een zoen en loop verdrietig terug naar de keuken. Mijn chocolademelk smaakt niet hetzelfde zonder opa.

'Auke, we moeten eens praten.'

Aan zijn blik merk ik dat het ernstig is. Ik ga op de bank bij het raam zitten en zie opgelucht dat die verwarde uitdrukking van zijn gezicht is verdwenen. Dat middagslaapje heeft hem blijkbaar goed gedaan.

'Je weet toch dat ik de laatste tijd wat last heb van gaten in mijn hoofd, hè. Ik vergeet dingen,' verduidelijkt hij, alsof hij bang is dat ik hem niet begrijp. 'Ik vrees dat die gaten steeds groter worden, Auke. Soms heb ik nog maar net iets gedaan en het volgende ogenblik ben ik het alweer vergeten. Dat is geen goed teken.'

Ik schud zachtjes mijn hoofd.

'Voor mijn middagdutje besefte ik niet meer dat je hier woonde, hè?'

Ik knik bevestigend.

'Ik was vergeten dat je ouders naar Afrika vertrokken zijn … Niet goed, hè?'

Ik blijf hem maar aanstaren en kan alleen maar knikken of schudden met mijn hoofd. In mijn keel zit een grote brok. Die probeer ik door te slikken, want ik wil niet huilen.

'Ik ben bang dat de dementie toeslaat, meisje. Weet je wat dat is?'

'*Alzheimer*?' piep ik.

Er verschijnt een brede, ontwapenende glimlach op zijn gezicht: 'Wat ben je toch verstandig. Zijn er eigenlijk dingen die je niet weet?'

Ik tover ook een geforceerde glimlach tevoorschijn, hoewel ik meer zin heb om te huilen.

'Ik wil niet dat je naar een bejaardentehuis gaat, opa,' fluister ik en kan een zachte snik niet onderdrukken.

'Hola, heb je mij een bejaardentehuis horen noemen? Ik vergeet wel eens iets, maar ik kan alle huishoudelijke taken nog prima aan, hoor Auke.'

Dankbaar schenk ik hem een glimlach.

'Maar je hebt gelijk. Wanneer de dokter hiervan hoort, zal hij ongetwijfeld over zorginstellingen beginnen. Alsof we het samen niet redden.'

'Dan zeggen we niets,' flap ik eruit.

'Zo mag ik het horen,' antwoordt opa, terwijl hij de deken resoluut van zijn benen trekt. Je heet dan misschien geen Vanderkassel, maar er bestaat geen enkele twijfel over dat het Vanderkasselbloed door jouw aderen stroomt. Wij laten ons niet kisten, hè?'

Ik geef hem een stevige knuffel en hij strijkt zachtjes door mijn haren.

'Zin in warme chocolademelk?' vraagt hij dan.

'Nee, dank je, opa. Vandaag niet,' zeg ik.

'O? Nou, goed dan. Zal ik maar meteen aan het avondmaal beginnen?'

Verdwenen

'Au!'
Geschrokken kijk ik op van mijn huiswerk.

'Au!'

Verdorie, opa heeft zich weer pijn gedaan. Als een wervelwind storm ik mijn logeerkamer uit en loop naar de woonkamer, waar de schreeuw vandaan komt. Opa staat in het midden van de kamer. Hij trekt helemaal geen pijnlijk gezicht.

'Ha, eindelijk.'

'Je had me geroepen?'

'Ja, wat dacht je? Dat ik voor de gein sta te roepen? Ben jij mijn leesbril ergens tegengekomen, Auke? Ik kan hem nergens vinden en ik wil mijn krant lezen.'

Lachend kijk ik hem aan.

'Wat sta je daar nou te ginnegappen? Heb ik iets van je aan, of zo?'

'Niet van mij, opa. Van jezelf.'

Heel even kijkt hij me nadenkend aan en dan zie ik het kwartje letterlijk vallen.

'Heb ik het nou weer voor mekaar gekregen?' grinnikt hij.

'Ja, opa. Hij staat op je hoofd.'

'Dekselse leesbril,' gromt opa, terwijl hij het ding op zijn neus zet. 'Telkens wanneer ik je nodig heb, schuif jij stiekem naar boven om je tussen mijn haren te verstoppen. Met mijn verrekijker in Afrika had ik een dergelijk probleem niet. Die was zo loodzwaar, dat ik nooit kon vergeten dat-ie om mijn nek bungelde. Zeg Auke,' fluistert opa alsof we twee samenzweerders zijn die een aanslag op de koning beramen, 'zou dit ook het werk zijn van mijn gatenkaas?'

Ik kijk hem aan en krul mijn neus.

'Nee, vast niet,' zeg ik quasi-ernstig.

'Vast niet,' herhaalt hij opgelucht, terwijl hij wil gaan zitten met de krant in zijn hand. Dan blijft hij half voorovergebogen staan.

'Waar heb ik die verduivelde krant nou weer gelaten?' vraagt hij opgewonden.

'Opa, dat meen je toch niet,' roep ik wanhopig.

'Natuurlijk niet, Auke. Hier in mijn rechterhand natuurlijk. Ik heb je mooi beetgenomen, hè?'

Hikkend van het lachen gaat hij zitten en vouwt het landelijke dagblad open.

'Dacht je nou echt dat ik niet wist waar mijn krant was,' giechelt hij. 'Auke toch.'

Ik lach met hem mee. Zolang hij zijn flauwe grapjes blijft afvuren, zal het allemaal wel meevallen.

Onverwachte bezoekers

'Kom hier, kippetje van me. Ga jij hier maar rustig liggen. Dan kun je langzaamaan opwarmen. In die diepvriezer is het maar frisjes, nietwaar?'

Opa legt de glazen stolp over de maïskip.

'Laat nooit vlees onbedekt achter op het aanrecht, Auke. Voor je het weet zit er zo'n verdomde vlieg op, die haar eieren erop deponeert. Ik weet best dat er in de herfst vrijwel geen vliegen zijn, maar je kunt maar beter geen risico's nemen, toch?

In Afrika, daar hadden we nog eens vliegen. Van die superdikke! Die hadden zich dan tegoed gedaan aan de stront van een buffel en wilden vervolgens op je middagmaal komen zitten. Dan waren ze bij Vanderkassel aan het verkeerde adres. Ik bezat de gevaarlijkste vliegenmepper van het hele Afrikaanse continent. Geen enkele van die zwarte, gevleugelde ziekteverspreiders was veilig in mijn buurt. Tienduizenden moet ik er hebben doodgemept! Dat waren nog eens glorieuze tijden. Van gaten in mijn hoofd was toen beslist geen sprake!'

Opa wil morgen nog eens zijn befaamde *poulet à la grand-père* uit de oven toveren. Het zal de laatste keer van het jaar zijn, want er zijn bijna geen paddenstoelen meer. We hebben er gisteren op onze wandeling nog enkele gezien, maar de meeste zijn niet al te geweldig meer, in ieder geval niet meer geschikt om te eten. Morgen plukken, meteen de ovenschaal in, lekker smullen en dan wachten tot volgend jaar. Dat is het idee in grote lijnen. De ingrediënten voor de cake die hij morgen gaat bakken, heb ik al gezien. Ik mag het niet weten, dus ik zeg uiteraard niets, maar het wordt een chocoladecake. Het water loopt me nu al bijna in de mond als ik er alleen al aan denk.

'Ik vraag me af waar die schurken uithangen,' mompelt opa.

'Wat zeg je, opa?'

'Die bankovervallers. Vanochtend hebben ze de spaarbank twee dorpen verderop overvallen en zijn ze betrapt. Daar moet je al een geflipte idioot voor zijn. Dat is mijn mening tenminste. Als je zo'n bankoverval beraamt, tref je toch een minimum aan voorbereidingen. Liefst tot in de puntjes, zou ik zeggen. Maar nee, wat doen ze? De spaarbank overvallen op het moment dat daar een politiepatrouille voorbijrijdt. Hoe achterlijk kunnen ze zijn? En dan schrikken omdat het tot een vuurgevecht komt. De politie heeft een van de gangsters geraakt. Net goed!'

'Maar ze blijven wel onvindbaar, hè opa?'

We hebben samen het nieuwsbericht gezien op het journaal.

'Precies. Dus vraag ik me af waar die schurken zich schuilhouden. Stel je voor dat ze in een huis in de buurt zitten.'

‘Zeg, opa!’ zeg ik boos. ‘Je maakt me bang, engerd.’

‘Dat gebeurt, Auke. Die mannen dringen gewoon een woning binnen en gijzelen een gezin. Het zou niet de eerste keer zijn.’

‘Opa!’

‘Maar jij hoeft niets te vrezen, Auke. Jij hebt mij. Ze moesten eens proberen een voet over mijn drempel te zetten. Ik stroop hen de huid af en dan krijgen ze de werpspeer uit de Afrika-kamer tussen hun ribben! Of omgekeerd natuurlijk. Misschien kunnen we er lekker van barbecueën.’

‘Opa, alsjeblieft!’

‘Ik maak geen grapje, hoor. In het Afrikaanse binnenland waren er pygmeeënstammen die een sappig stukje mensenvlees …’

‘Ik ga slapen, opa.’

In een kannibalenverhaal heb ik echt geen zin. Ik geef hem een klinkende zoen en wil naar boven gaan.

‘Blijf je vannacht hier slapen, Auke? Weet je moeder ervan?’

Ik draai me om en wil hem de hele uitleg nog eens geven, maar bedenk me dan.

‘Ja opa, ze weet ervan.’

‘Dan is het goed. Ik kom je zo meteen een nachtzoen geven.’

Tijdens het tandenpoetsen, vraag ik me af hoe het verder moet. Opa wordt steeds vergeetachtiger. Tot vervelens toe vraagt hij waar mama en papa zijn. Uitleggen heeft geen enkele zin, want twee dagen later is hij het alweer vergeten.

Ik nestel me tussen de lakens en wacht geduldig tot hij naar boven komt. Dat vergeet hij nooit: de nachtzoen is heilig.

Hoorde ik nou iemand aankloppen? Zo laat op de avond? Stemmen? Inderdaad, ik hoor opa praten. Een andere mannenstem. Gestommel. Hoorde ik iemand kreunen of was dat mijn verbeelding? Nieuwsgierig kom ik uit mijn bed, trek mijn badjas aan en schuif in mijn slippers. Ik loop naar beneden en blijf halverwege de trap staan.

'Voor de allerlaatste keer, ouwe. Ben je alleen?'

De stem klinkt onvriendelijk, dreigend zelfs.

'Ja, hier woont niemand anders. Mijn echtgenote is al jaren geleden overleden.'

'En je weet zeker dat hier niemand anders is?'

'Dat vertel ik toch net? AU! Je hoeft niet zo te knijpen.'

'Knijpen? Ik heb gewoon je arm vast. Doe niet zo kleinzerig, man.'

'Kleinzerig, ik?'

Ik hoor aan opa's stem dat hij zijn geduld dreigt te verliezen, maar dan herpakt hij zich en zegt bedaard: 'Dit is mijn huis en als ik iets voel heb ik het recht om AU te roepen. AU!'

'Al goed, al goed. Ik laat je arm al los.'

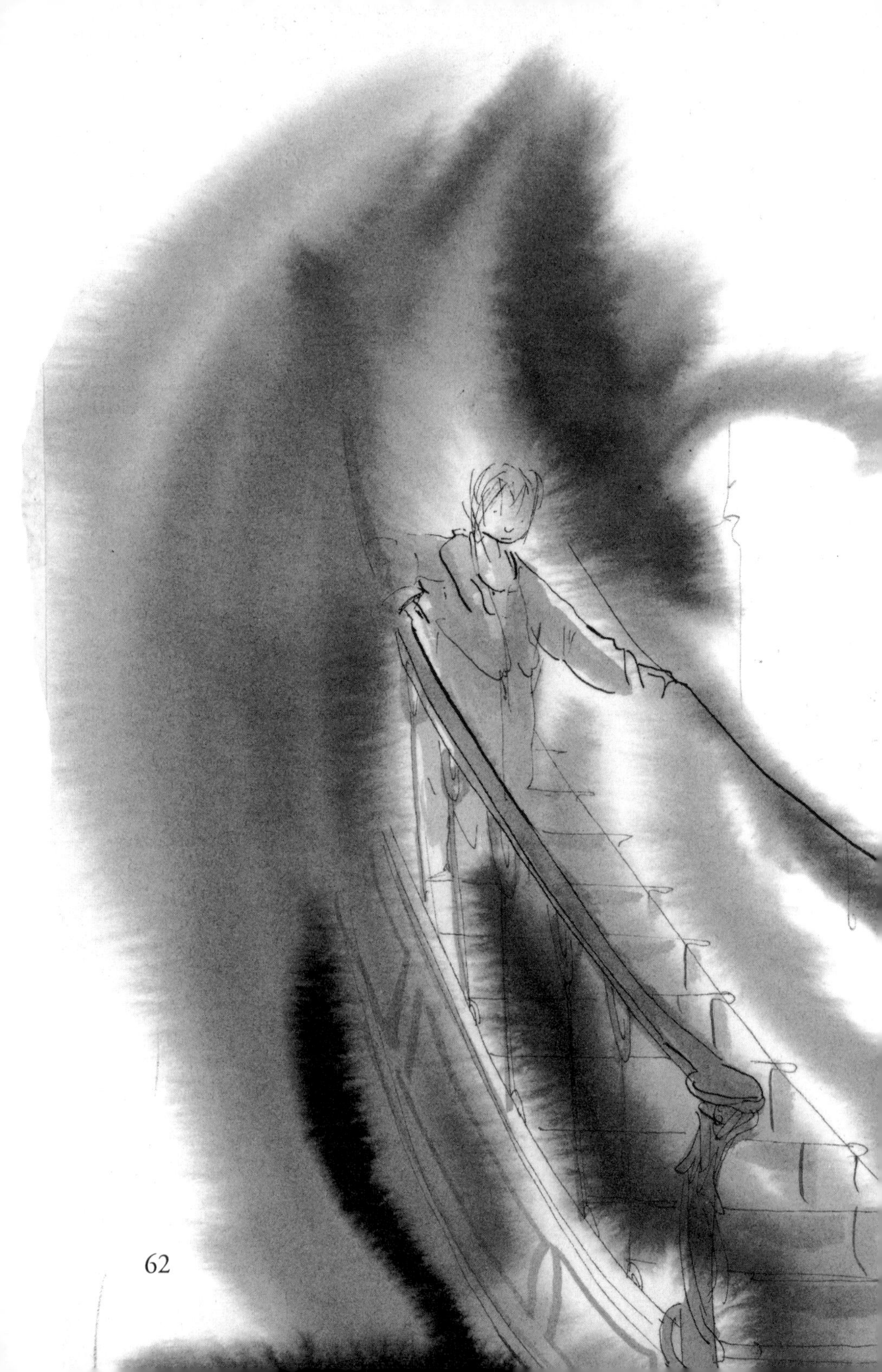

'Mooi, dan kan de AU nu VERDWIJNEN! Zie je? AU! VERDWIJN!'

Hij heeft het tegen mij. Hij wil dat ik wegloop. Ineens herinner ik me het nieuwsbericht over die bankovervallers. Zouden zij ...? Op mijn tenen sluip ik naar boven. Ik moet iets bedenken. Zolang die kerel aanneemt dat opa alleen is, ben ik in het voordeel. Bij gebrek aan ideeen loop ik naar mijn slaapkamer en ga met opgetrokken knieën op mijn bed zitten. Ik ben doodsbang. Met hoeveel zijn ze? Ik heb maar één stem gehoord. Denk na, Auke. Denk!

Twee. Volgens de nieuwslezer waren er twee. Een van hen is zwaargewond. Neergeschoten. Misschien zegt hij daarom niets, of misschien is die tweede wel dood. Ik moet ontsnappen. Het huis uit. Dan loop ik naar de buren en alarmeer de politie. De dichtstbijzijnde woning ligt op tweehonderd meter afstand. Dat is niet onoverkomelijk. Had ik nou maar een mobieltje. Ik ben de enige van de klas die er geen heeft en hoogstwaarschijnlijk ook de enige die er nu echt eentje zou kunnen gebruiken. Waar zouden ze zitten? Volgens mij komen de geluiden uit de huiskamer. Als ik heel stilletjes naar beneden sluip, kan ik de voordeur openen en naar buiten glippen. Een simpel plan, maar iets doeltreffenders kan ik niet bedenken. Ik trek snel een joggingbroek en een fleecetrui over mijn pyjama aan, doe sportsokken aan en pak mijn gympjes uit de kast. Mijn schoenen staan helaas beneden. Die pakken is onmogelijk.

Net als ik mijn slaapkamer wil verlaten, hoor ik het geluid van voetstappen op de trap.

Verstijfd van angst, druk ik mijn rug tegen de muur.

'Wat een ruimte,' hoor ik iemand mompelen. 'Een koninklijk paleis is er niets bij. Kijk al die kamers eens. Toch eens checken of die ouwe ons niet belazert. Zoveel kamers, man, man.'

Ik hoor deuren open- en dichtgaan en raak in paniek. Zo meteen opent hij mijn kamerdeur en dan ben ik erbij.

'Allemachtig, wat is dat hier? Dit lijkt verduiveld Afrika wel? Geschifte kerel, die ouwe ... Ha, een badkamer. Komt van pas, want mijn blaas staat zo langzamerhand op springen ...'

Dat is mijn kans. Ik wacht tot ik de badkamerdeur hoor dichtvallen en sluip dan naar de trap. Wanneer ik beneden ben, hoor ik doortrekken. Ik bevind me op enkele passen van de voordeur, maar aarzel. Waar is opa? Als die man boven is, wat heeft hij dan met mijn grootvader gedaan? Ik besluit poolshoogte te gaan nemen. Ik kan nog altijd door de keukendeur naar buiten glippen. Op mijn tenen loop ik naar de keuken. De deur staat open. Ik kijk behoedzaam naar binnen, maar de keuken is leeg. De maïskip ligt eenzaam, netjes afgedekt, op het aanrecht. Ik ga vrijwel geruisloos de keuken binnen en door de halfgeopende deur zie ik hem zitten. Opa zit in de woonkamer met zijn rug naar me toe. Waarom beweegt hij niet? Ik durf niet te roepen, maar schuifel dichterbij. In de woonkamer slaak ik een luide gil. Tegelijkertijd hoor ik boven roepen.

'Hij heeft ons belazerd! Er is nog iemand in huis!'

Op de bank hangt een hevig transpirerende man die een revolver op opa gericht houdt. Het overhemd van de man is roodgekleurd van het bloed. Zonder na te denken, spurt ik de huiskamer uit en hoor de oorverdovende knal van een revolverschot. De kogel boort zich door de keukenkast. Ik hoor de indringer de trap afdenderen en ren naar de keukendeur. Die zit gelukkig niet op slot. Ik spurt razendsnel het donker in, naar de beschutting van het bos. Achter me hoor ik iemand hartgrondig vloeken, maar de donkere bomen hebben me reeds opgeslokt.

'Kom tevoorschijn!' buldert de onbekende.

Bevend van schrik blijf ik gehurkt zitten tussen enkele iele sparren. Me verroeren durf ik niet. Zolang ik zijn silhouet in de deuropening zie, ben ik veilig.

'Ook goed. Als je niet terugkomt, laat je me geen keus.'

Wat bedoelt hij?

'Als je niet wilt meewerken, knal ik die ouwe een kogel door zijn hersenen. Dan zul jij weten dat jij hem hebt vermoord, omdat je niet naar me luisterde.'

Razendsnel probeer ik na te denken. Wat zou opa doen in mijn plaats?

'Komt er nog wat van?' klinkt het ongeduldig.

Mijn grootvader zou me redden. Zonder enige

twijfel. Hij zou niks geven om zijn eigen veiligheid.

'Goed, jij je zin. Zeg de ouwe maar vaarwel!'

'Nee, niet schieten,' roep ik en ik verlaat voorzichtig mijn schuilplaats.

Met knikkende knieën kom ik dichterbij. De gangster staat me gemeen grijnzend op te wachten.

'Kijk nou eens aan. Onze kleine heldin. Wat had je gedacht? Laat ik even snel de politie waarschuwen? Mooi niet, dus. Hupla, naar binnen jij,' zegt hij terwijl hij me ruw bij mijn haren vasthoudt.

'Blijf met je tengels van mijn kleindochter!' roept opa.

'Ach, hoe ontroerend. De bejaarde sukkelaar wil je verdedigen. Wat ga je doen? Me bijten?' lacht de gangster gemeen. 'Je hebt je kunstgebit toch in?'

'Daag me niet uit, hè!'

'Oei, nu doe ik het in mijn broek. Hier,' roept hij terwijl hij me in zijn richting duwt, 'ontferm jij je maar over dat kleine misbaksel.'

'Hou me tegen, Auke,' sist opa tussen zijn tanden.

'Niet doen, opa. Die gangsters zijn gewapend.'

'Gewapend? Het zal me wat. Toen ik in Afrika ...'

'Doe het voor mij, opa. Alsjeblieft?'

'Goed, maar met tegenzin, meisje. Als je dat maar weet. Ik zou die tyfuslijder wat graag ...'

'Ik vind het vreselijk om jullie ontroerende onderonsje te verstoren, maar ik moet jullie vriendelijk verzoeken naar boven te gaan.'

Met zijn revolver gebaart de boef naar de trap. We moeten wel gehoorzamen en laten ons opsluiten in mijn slaapkamer. We zitten samen op mijn bed.

'Doodjammer dat die schurftige builenpestlijder ons niet in de Afrika-kamer heeft opgesloten. Met mijn werpspies die daar aan de muur hangt, had ik hem wel een toontje lager laten zingen,' moppert mijn grootvader.

'Wat moeten we nu beginnen, opa?'

'Geen idee, meisje.'

'Het ziet er niet denderend uit, hè?'

'Ik verzin wel iets, Auke. Je weet het, een expeditieleider laat niemand in de steek! Heb ik je onlangs niet gered van een dolle neushoorn?'

Hij trekt me tegen zich aan en ik probeer me veilig te voelen in zijn armen, maar dat lukt me niet.

'Weet je moeder dat je hier vannacht logeert?' vraagt hij na een tijdje.

'Ja, opa. Ze weet het.'

'Mooi, dan hoeft ze zich niet ongerust te maken.'

Poulet à la grand-père

We worden wakker van het geluid van de sleutel die wordt omgedraaid.

'Ik moet in slaap gevallen zijn, Auke. Stel je voor. Heb ik de hele nacht hier in de stoel doorgebracht. Wat kan ik toch verstrooid zijn,' glimlacht opa slaperig.

De deur gaat open en de boeventronie verschijnt in mijn slaapkamer.

'Naar beneden jullie.'

'Mag ik vragen wie u bent?' vraagt opa geërgerd.

Hij komt ietwat moeizaam overeind en loopt op de gangster af.

'Niet doen, opa,' smeek ik.

'Dat komt hier met zijn wansmakelijke bavianenkop binnenvallen en wil mij zomaar bevelen geven. In mijn eigen huis, nota bene! Dat is helemaal mooi. Mijnheer, ik ga u eenmaal vriendelijk verzoeken mijn huis te verlaten, anders zal ik genoodzaakt zijn u eruit te gooien.'

'Als je geweld wilt, kun je het krijgen, ouwe,' zegt de man en hij geeft opa een flinke klap met de kolf van zijn revolver.

Opa wankelt achteruit en valt kreunend tegen me aan.

'Doe hem niks, alsjeblieft. Hij heeft *alzheimer*,' snik ik.

Dat lijkt de misdadiger tegen te houden.

'Ik vermoedde al zoiets. Die ouwe malloot is rijp voor het gekkenhuis. Vooruit, naar beneden.'

We doen wat ons bevolen wordt en lopen voor hem uit de trap af. Intussen probeer ik mijn grootvader ervan te overtuigen dat hij zich niet mag verzetten. We beginnen immers niets tegen een gewapende man.

'Ik verzin wel iets,' mompelt hij de hele tijd. 'Ik verzin wel wat.'

De kompaan van onze gijzelnemer ziet er belabberd uit. Hij ligt lijkbleek op de bank en de zweetdruppeltjes parelen op zijn voorhoofd.

'Mijn partner heeft een stevige maaltijd nodig om op krachten te komen. Jij gaat dat kippetje voor hem klaarmaken, ouwe.'

'Geen denken aan!' steigert opa. 'Die maïskip is voor Auke en mezelf. Het is de laatste keer dit jaar dat ik mijn beroemde *poulet à la grand-père* kan klaarmaken, want de paddenstoelen zijn bijna op. Denk je nou echt dat ik dat verfijnde culinaire gerecht aan een stel verlepte stinkzwammen zoals jullie ga serveren?'

'Het is geen vraag, ouwe, maar een bevel.'

'Een bevel? Nu nog mooier! Een bevel? Ha! Sinds wanneer denk je dat Theodorus-Hypoliet Vanderkassel bevelen aanneemt van onderontwikkelde hangbuikzwijnen? In Afrika zouden jullie nog niet goed genoeg zijn voor het spit! Ik ...'

'Nu heb ik er genoeg van, ouwe. Mijn geduld raakt op!' schreeuwt de bandiet en hij richt zijn wapen op mijn hoofd. 'Je begint nu aan je fameuze gevogelteschotel of ik maak een klein, rond gaatje in het voorhoofd van je kleindochtertje. Wedden dat ze dat niet prettig zal vinden?'

Ik doe mijn uiterste best om niet te gillen en dring de tranen terug. Dat plezier gun ik die schurk niet. Een Vanderkassel huilt niet, ook al is dat niet mijn echte familienaam. Opa verbleekt en steekt zijn handen in de lucht ten teken van overgave.

'Oké, ik zal het gerecht klaarmaken. Maar dan moet ik wel de paddenstoelen gaan plukken in het bos.'

'Jij gaat nergens heen. Dan doe je de bereiding maar zonder paddenstoelen.'

'Ook goed. Zonder paddenstoelen.'

Opa draait zich om en trekt de keukenlade open. Hij haalt een grote kippenschaar tevoorschijn.

'Hela, wat moet je daarmee? Terugleggen.'

'Wat moet ik daarmee? Wat moet ik daarmee? Ben jij achterlijk? Je beveelt me zelf een kipschotel klaar te maken. Moet ik dat beest in stukken bijten voor ik hem in mijn ovenschotel kan gooien? Of dacht je dat ik jullie met die kippenschaar zou aanvallen? Of met de kip zelf misschien? Je moet kiezen, slijkmossel. Of je laat me mijn gerecht klaarmaken, of je doet het zelf.'

Ik ben doodsbang terwijl ik de beledigingen aanhoor die opa naar het hoofd van die enge gangster smijt, maar tegelijkertijd ben ik apetrots omdat hij zich niet laat intimideren. Hij is echt de grote Theodorus-Hypoliet Vanderkassel en ik ben opnieuw supertrots dat hij mijn grootvader is.

'Eerst moet ik mijn befaamde *poulet à la grand-père* klaarmaken. Gaat-ie er bijna om smeken en dan mogen er geen paddenstoelen in. Wil ik de kip in stukken knippen, dan wordt meneertje bang. En dat noemt zich dan gangster. Geen etmaal zou je het uithouden in het Afrikaanse oerwoud. Geen dag! Zonder paddenstoelen. Heeft-ie de gelegenheid om het lekkerste gerecht ter wereld te proeven en laat-ie het aan zijn neus voorbijgaan omdat de paddenstoelen nog in het bos staan. Heb je nou ooit ...'

Nu richt de gangster zich tot mij: 'Weet jij welke zwammen je grootvader nodig heeft?'

Ik knik.

'Ga ze dan plukken. Dan houdt die demente zwamneus eindelijk op met zeuren. Ik krijg er barstende hoofdpijn van.'

'Ach ja, stuur dat kind maar door de kou. En blijf zelf vooral lekker binnen, platte pannenkoek!'

Ik pak een rieten mandje en doe mijn rubberlaarzen aan. Ik heb nog altijd mijn kleren over mijn pyjama aan. Sinds gisterenavond heb ik me niet meer omgekleed.

'Ongewassen holbewoner, neanderthaler! Hopelijk stik je in mijn poulet, satansboleet! Hoor je me? Boleet!' Mijn warme jas heb ik zorgvuldig dichtgeknoopt, maar ik ril over mijn hele lichaam. Bibber ik van de kou of omdat ik doodsbang ben? Opa is zo opgewonden dat hij die indringer constant uitdaagt. Ik vrees dat die vroeg of laat zijn geduld zal verliezen en mijn grootvader iets zal aandoen. Tranen rollen over mijn gezicht. Nu niemand me kan zien, mag ik ze de vrije loop laten. Hoe raken we in hemelsnaam van die akelige mannen af?

Ik kom bij de plek waar de laatste paddenstoelen staan en begin te plukken. Opa's laatste fameuze gevogelteschotel van het jaar had ik me wel wat feestelijker voorgesteld. Ik kan me niet voorstellen dat ik straks een hap door mijn keelgat krijg. Mijn oog valt op een paddenstoel die wat verder staat te pronken. Een satansboleet. Ineens herinner ik me hoe opa maar 'boleet' bleef brullen toen ik naar buiten ging. Zou hij me een teken hebben willen geven? Wil hij dat ik de satansboleet meebreng? Zeer giftig en zelfs dodelijk, heeft hij me verteld toen ik ernaar informeerde. Maar we kunnen toch niemand vermoorden? En als we het niet doen, wat dan? Zullen ze weggaan zonder ons iets te doen of zullen ze ons ombrengen omdat we hen kunnen identificeren? Ik word draaierig en moet even gaan zitten. Heeft hij dat echt bedoeld?

Ik neem een beslissing en voeg de levensgevaarlijke paddenstoel toe aan de collectie in mijn mandje. Opa kan altijd nog beslissen om hem niet te gebruiken. Hij herkent de boleet ongetwijfeld meteen.

Opgelucht stel ik vast dat de scheldtirade is stilgevallen. Ik zet het paddenstoelenmandje op het aanrecht en kijk opa aan. Zijn ogen lichten even op wanneer hij de satansboleet ziet liggen.

'Uitstekend gedaan, Auke. Daarmee kan ik aan de slag.'

Ik kijk zo onverschillig mogelijk wanneer ik aan de keukentafel ga zitten. De crimineel staat in de deuropening van de zitkamer waar hij zowel zijn kompaan als ons in de gaten kan houden.

'Ik moet toegeven dat het lekker ruikt,' zegt de boef snuivend. 'Een lekker stukje kip zal er wel ingaan. Ik hoop dat jullie het niet erg vinden om een gewone boterham te eten,' lacht hij spottend. 'Laat het krachtvoer maar voor ons.'

Opa mompelt wat onverstaanbaars bij het fornuis, maar de misdadiger slaat er geen acht op.

Opa schept de maaltijd op twee borden. Ik moet een bord naar de gewonde misdadiger brengen, terwijl de andere aan tafel gaat zitten. De verzwakte gewonde slaapt en ik zet het bord naast de sofa neer. De smakkende en slurpende geluiden uit de keuken bewijzen dat opa's kookkunst gewaardeerd wordt. Voorlopig nog wel.

De wraak van de boleet

Nauwelijks een kwartier later is het zover. De gangster zit nog aan de keukentafel en trekt een pijnlijke grimas terwijl hij naar zijn buik grijpt. Ik kijk onopvallend naar mijn grootvader, maar die vertrekt geen spier. Hij staart stoïcijns voor zich uit alsof hij niet weet dat er iemand in de keuken aanwezig is. Ik hoor de darmen van de man duidelijk rommelen en het volgende ogenblik spurt hij de keuken uit naar het toilet.

'Hoe zit het met de andere?' wil opa weten.

'Hij slaapt nog. Hij heeft zijn bord niet aangeraakt.'

Opa kijkt nadenkend naar de woonkamer en neemt dan een beslissing. Vanuit het toilet komen de meest onsmakelijke geluiden, vergezeld door het bijna meelijwekkende kermen van de gangster met de getormenteerde darmen.

'Vlug, Auke. Loop naar de hal en bel 112. Zeg dat ze de politie onmiddellijk moeten sturen.'

Opa is al onderweg naar boven.

'Wat ga je doen?'

'Zul je zo dadelijk zien,' mompelt hij.

Terwijl ik het noodnummer intoets, zie ik hem de trap afkomen, gewapend met een oude karabijn in de ene hand en de werpspeer uit de Afrika-kamer in de andere. Wijdbeens vat hij post voor de gesloten toiletdeur.

'Pak het pistool van die slaapkop, Auke,' sist opa, wanneer ik de hoorn geruisloos neerleg.

Op mijn tenen begeef ik me naar de woonkamer. De gewonde gangster ligt nog altijd te slapen, zijn portie *poulet à la grand-père* nog onaangeroerd naast zich. Ik bid dat hij niet wakker wordt voor de politie er is. Dan hoeven we hem niet te vermoorden met opa's gifschotel. Met bonzend hart sluip ik naar de sofa. De revolver ligt op de borst van de boef, op nauwelijks twee centimeter van zijn vingers. Bevend steek ik mijn hand uit en pak de loop van de revolver. Het ding is zwaarder dan ik dacht en ik laat het bijna vallen. De gangster beweegt in zijn slaap en ik kan met moeite een gilletje onderdrukken. Dan trek ik mijn hand met het wapen erin terug. Mijn opdracht is volbracht.

Opa beloont me met een brede glimlach. Hij staat nog steeds wijdbeens voor het toilet als een doorgewinterde cipier die de cel van een terdoodveroordeelde seriemoordenaar bewaakt. Het pruttelende geluid uit het kleinste kamertje bewijst dat de effecten van de satansboleet verre van uitgewerkt zijn. Een pijnlijk gekreun verraadt dat de eigenaar van de binnenstebuiten gedraaide darmen niet echt gelukkig is.

'Lekker gerecht, hè,' lacht opa luid. 'Ik vrees dat mijn kleindochter een verkeerde paddenstoel heeft geplukt.'

'Smeerlap, klinkt het gedempt achter de deur vandaan. 'Ik zal je ...'

'Volgens mij zul je helemaal niets,' valt opa hem in de rede en om zijn woorden kracht bij te zetten, knalt hij met zijn karabijn een gat in de bovenkant van de deur.

Dat had hij beter niet kunnen doen, want de stinkende gassen banen zich meteen een weg naar buiten. In het toilet wordt het nu wel heel stil. Ik hoor bijna hoe de hersenen van de bandiet koortsachtig werken op zoek naar een uitweg vanuit zijn benarde situatie. Of zijn het zijn rommelende darmen die ik hoor? Voor alle zekerheid doen we een stap opzij. Het is niet denkbeeldig dat hij door de deur zal schieten.

'Nu heb je me boos gemaakt,' zegt opa streng. 'Je hebt me verplicht een gat te schieten in mijn eigen toiletdeur. Door jouw schuld is mijn huis kapot. Wat belet me eigenlijk om jou gewoon van de wc-pot te knallen?'

'Niet doen, alsjeblieft,' klinkt het benepen.

'Ach, nu zing je een toontje lager, hè? Wat dachten jullie? Die bejaarde en dat schoolkind zullen we eens even naar onze pijpen laten dansen? Laat ik je dit vertellen, mislukte kikkerdril. Als er hier door iemand gedanst wordt, dan zal het door jou zijn op de rand van de pispot! Heb je dat begrepen, onderkruiper?'

Een doffe klap doet opa zwijgen. In de gang ligt de handlanger. Hij is opgestaan, maar mist blijkbaar de kracht om overeind te blijven. Opa heft dreigend zijn speer op en sist: 'Eén beweging en ik heb geen satansboleet nodig om jou naar de verdoemenis te helpen, begrepen?'

De gewonde reageert niet. Dat hij bewusteloos is, zal daar wel iets mee te maken hebben.

Dan gaat alles plotseling heel snel. Voor het huis stoppen politieauto's met gillende remmen en loeiende sirenes. Opa roept dat ik de voordeur moet openen voor ze het hele huis slopen. Zwaarbewapende, geüniformeerde agenten stormen de gang binnen. Ze rukken de wc-deur open en sleuren de gangster van de wc, zijn broek nog op zijn knieën hangend. Intussen neemt een andere agent ons mee naar de keuken. De bewusteloze gangster wordt op een brancard geladen en afgevoerd. Terwijl we aan de keukentafel zitten en uitgebreid verslag uitbrengen aan de agent die ons ondervraagt, gaan mijn gedachten naar de politieauto waarmee de diarreegangster, zoals ik hem in gedachten heb gedoopt, wordt weggevoerd. Zouden ze zijn broek hebben opgetrokken? Ik hoop het van harte voor de agenten. De kans is groot dat hij de inhoud van zijn darmen niet kan binnenhouden tot ze het politiebureau bereiken. Arme agenten!

Opa weigert hardnekkig slachtofferhulp te aanvaarden.

'We hebben het zonder jullie opgelost en we kunnen het alleen verwerken ook,' houdt hij koppig vol. 'Daar hebben we niet iemand voor nodig, die in de duffe universiteitsbanken heeft geleerd wat hij ons moet vertellen. Zeg hen maar dat Theodorus-Hypoliet Vanderkassel zijn eigen boontjes kan doppen. Net als vroeger in donker Afrika. Dat waren nog eens tijden, agent. Jij bent nog jong. Toen ik in de rimboe voor mijn leven vocht, lagen jij en je collega's nog in de luiers. En gevochten heb ik, dat kun je van me aannemen. Ontelbare vijanden lagen op de loer in dat oerwoud. Dus kom me nou niet vertellen dat ik hulp nodig heb omdat twee derderangs boefjes het in hun hoofd haalden om ons te gijzelen.'

De agent stopt zijn notitieblok in zijn binnenzak en draait wanhopig met zijn ogen. Ik kan hem begrijpen: opa is volledig dolgedraaid en er valt geen land met hem te bezeilen.

Wanneer de rust is weergekeerd en de laatste agent is verdwenen, staat opa meewarig naar de kapotte wc-deur te kijken.

'Moet je nou toch eens zien. Zo'n gat in de deur. Ik vraag me af hoe dat erin is gekomen?'

'Maar opa toch, je hebt het er zelf in geschoten. Met je karabijn.'

'Werkelijk? Slingert dat gevaarlijke wapen hier zomaar rond? Waar is het, kan ik het meteen opbergen. Dat is geen speelgoed, jongedame. Verdorie, en wat doet dit hier nou?' zegt hij een beetje opgewonden wanneer hij de werpspeer ziet liggen. 'Dat gevaarte hoort in de Afrika-kamer en nergens anders. Heb jij dat daarvandaan gehaald, Auke?'

Ik schud ontkennend mijn hoofd.

'Nou ja, ik ben niet boos. Ik zou het zelf ook niet durven toegeven als ik met zoiets gevaarlijks had gespeeld. Laat het niet meer gebeuren, meid.'

'Nee, opa.'

Ik besluit niet tegen hem in te gaan. Blijkbaar krijgt hij de terugslag van de gebeurtenissen en is hij weer helemaal in de war. Ik zal maar een kopje rustgevende kruidenthee voor hem zetten.

Gelukkig stroomt er wat van zijn avonturiersbloed door mijn aderen, denk ik, terwijl ik de waterkoker aanzet. De meeste leeftijdsgenoten zouden in shock zijn na zo'n gijzelingsdrama. Maar opa heeft me nodig. Ik mag niet flauw doen. Tenslotte heeft grootvader ons gered en verdient hij nu de allerbeste zorgen.

Plechtige belofte

De volgende ochtend vertel ik geduldig wat er is gebeurd. Er zitten onrustwekkend grote gaten in opa's geheugen en met steeds groter wordende ogen luistert hij naar mijn verhaal.

'Je meent het,' zegt hij bewonderend. 'Verdorie, Auke. Ik ben ontzettend trots op jou dat je die satansboleet hebt geplukt. Door die gaten in mijn hoofd weet ik niet eens meer dat ik op dat schitterende idee kwam om die lafhartige jakhalzen te vergiftigen. Want geef toe, dat was toch goed gevonden, hè?'

'Gaat die bankovervaller nu dood?'

Opa schudt zijn hoofd: 'Satansboleten kunnen dodelijk zijn als je enorm verzwakt bent of als je geen verzorging krijgt. Meestal kom je er vanaf met een aantal dagen vlijmscherpe krampen en stinkende diarree. Ik mag hopen dat die schetenlatende stinkzwam nog veel pijn lijdt.'

'Dat is wel de correcte benaming,' lach ik. 'Stinkzwam.'

Opa schuddebuikt van het lachen.

'Wat hebben we het toch goed samen, hè Auke.'

Ik knik en leg mijn hoofd op zijn schouder. Nooit krijgen ze ons uit elkaar.

De persmuskieten zijn eindelijk de deur uit.

'Voor dat soort pennenlikkers heb ik geen andere benaming,' geeft opa toe. 'Net als malariamuggen komen ze zich voeden met het bloed van hun slachtoffers. Hoe erger de gebeurtenissen die je meemaakt, hoe talrijker die vermaledijde potloodslijpers in je voortuin komen opdagen. Heb ik niet teveel stommiteiten uitgekraamd?' vraagt hij dan.

Ontkennend schud ik mijn hoofd. Het is pijnlijk te zien hoe hij zelf beseft dat hij achteruit gaat. Meerdere keren per dag valt hij in een van die steeds groter wordende gaten in zijn hoofd. Het duurt alsmaar langer voor hij weer 'helder' is. Blijkbaar heeft die gijzeling zo'n indruk gemaakt dat zijn toestand erdoor is verslechterd. Ik moet hem toch nog eens voorstellen onze huisarts erbij te halen.

Opa denkt zo lang na dat ik me afvraag of het zou kunnen dat hij mijn vraag alweer is vergeten.

'De dokter zal ook merken dat het niet zo geweldig goed gaat met mijn geestestoestand, Auke,' zegt hij.

Hij spreekt langzaam alsof hij er zeker van wil zijn dat elk woord goed tot me doordringt.

'Hij zal het nooit goedvinden dat ik hier alleen blijf wonen met een tienermeisje, begrijp je?'

Ik knik.

'Weet je wat ik verschrikkelijk zou vinden, Auke? Dat ik mijn bos zou moeten verlaten. Ik ben hier zoveel jaren gelukkig geweest met je grootmoeder. Als ze me hier weghalen is het alsof ze me het laatste beetje ontnemen dat me van haar rest. Begrijp je? Trouwens, als ik hier niet meer rondloop, wie zal er dan zorgen voor het bos van de wereld? Wie zal dan die dekselse beuk terugfluiten als-ie weer vindt dat hij daar alles mag regelen. Wie zou de boleten beletten om zich via hun dekselse sporenelementen zo ongebreideld voort te planten dat het hele bos ervan vergeven wordt?'

'Het bos kan niet zonder jou, opa,' antwoord ik zacht.

'Dat bedoel ik nou, Auke. Jij begrijpt precies wat ik wil zeggen.'

Hij blijft enkele ogenblikken voor zich uit staren en mompelt dan bijna onhoorbaar: 'Ik wil hier niet vandaan, Auke. Ik wil sterven in mijn eigen huis, in mijn eigen bos.'

Ik veeg mijn tranen weg en pak zijn hand vast.

'Niemand haalt je hier weg, opa. Dat beloof ik.'

Herinneringen

'Opa, opa!'

Ik schuif mijn stoel met geweld achteruit en dender als een waanzinnige de trap af. Vanachter zijn krant kijkt grootvader verschrikt op.

'Vergaat de wereld? Is er een overstroming? Staat mijn bos in brand?'

Ik negeer zijn grapjes en probeer mijn ademhaling onder controle te krijgen.

'Mama komt terug!'

'Is ze weg dan?'

'Opa, alsjeblieft. Neem me niet in de maling. Ik heb net een e-mail ontvangen, waarin ze vertelt dat ze terugkomt. Ze houdt het niet langer uit in Afrika, zegt ze. Paps blijft alleen, want hij heeft daar natuurlijk zijn verantwoordelijkheden, maar mams komt terug naar huis.'

Ik ben in alle staten en merk dat ik uitbundig sta te zwaaien met mijn armen. Onbewogen staart mijn grootvader me aan.

'Geweldig,' mompelt hij. 'Nou zullen we het helemaal krijgen.'

'Wat bedoel je?' vraag ik verbouwereerd.

'Nou zijn de rapen helemaal gaar. Je moeder, een geboren Vanderkassel, beweert dat ze het niet kan volhouden in Afrika? Wat is me dat voor klinkklare onzin? Ik had het kunnen weten!'

Ik kan hem helemaal niet meer volgen en staar hem met grote ogen aan. Het bloed stijgt naar zijn gezicht en ik ben bang dat hij een toeval zal krijgen. Een hersenbloeding op zijn gevorderde leeftijd is niet ondenkbaar.

'Je grootmoeder zaliger, God hebbe haar ziel, heeft me dat eerder ook geflikt. Doordat zij zo'n heimwee had, heb ik uiteindelijk mijn teergeliefde Afrika de rug toegekeerd. Ik had gehoopt dat je moeder mijn avonturiersbloed zou hebben, maar integendeel ... ze houdt het niet meer uit!'

'Rustig maar, opa,' probeer ik hem te sussen.

'Waarom zou ik kalm blijven? Heel de eer van mijn bloedlijn naar de haaien!'

'Misschien slaat het een generatie over.'

'Waar heb je het in vredesnaam over?'

'Dat gebeurt toch wel vaker? Dat hebben we bij biologie geleerd. Erfelijke eigenschappen slaan geregeld een generatie over. Zoals tweelingen. Het komt vaak voor dat grootouders een tweeling krijgen. Hun kinderen niet, maar hun nakomelingen dan weer wel.'

'Hou je me voor de gek? Wat heeft het krijgen van een tweeling hier in hemelsnaam mee te maken?'

'Wie weet gaat het precies hetzelfde met dat avontuurlijke in jouw bloed.'

Hij staart me aan als een koe die naar een buffel kijkt en denkt dat ze haar grootmoeder ziet.

'Kind, kind. Wat ze tegenwoordig allemaal niet op school leren,' zucht hij.

'Trekken we het bos in, opa? Ik heb zin in een avonturentocht.'

Zijn gezicht klaart op en hij tovert een hemelsbrede glimlach tevoorschijn.

'Ik heb het je al eerder gezegd, Auke. Jij had Vanderkassel moeten heten. Trek je rubberlaarzen aan! De rimboe verwacht ons!'

'Kijk nou. De boleet is verdwenen!'

'Die heb ik geplukt. Dat herinner je je vast nog wel.'

'Geplukt? Een satansboleet? Jij? Je weet toch dat die levensgevaarlijk is?'

'Ik weet het,' speel ik mee. 'Uitzonderlijk giftig en megadodelijk.'

'Je hebt er toch niet van gegeten?' vraagt hij verschrikt.

'Ik niet.'

'Ik hopelijk ook niet?'

Zijn verschrikte blik spreekt boekdelen.

'We mogen geen seconde verliezen. Loop naar het huis en bel een ambulance! Zo meteen raak ik in coma!'

'Rustig maar, opa. Jij hebt er evenmin van gegeten. Het waren die gangsters.'

'Gangsters? Waar? Met dergelijk uitschot kun je beter niet optrekken, Auke.'

'Ben je het nou alweer vergeten, opa?'

Ik neem plaats op een omgevallen boomstam en gebaar hem om naast me te komen zitten. Met grote ogen luistert hij naar mijn verhaal alsof het de eerste keer is dat hij het hoort. Hij heeft geen enkele herinnering meer aan de spannende gijzelingsactie. Wanneer ik ben uitverteld, blijft hij een tijdlang zwijgend zitten.

'Wat ben ik blij dat ik jou gered heb,' zegt hij terwijl hij me over mijn hoofd aait.

'Een Vanderkassel zou zijn familie nooit in de steek laten, is het niet?'

'Een waarheid als een koe, kindje. Je slaat de spijker op de kop.'

We lopen naar de evenaar en steken opa's geliefde grens over. Het Afrikaanse oerwoud wemelt weer van de exotische dieren en mijn grootvader haalt zijn hart op door ze te beschrijven met al hun eigenaardigheden en eigenschappen. Regelmatig beland ik onzacht in de struiken wanneer hij me weer met een geweldige duw meent te moeten redden van een dolgedraaide olifant of van een kudde op hol geslagen blauwe gnoes. Het is echt niet moeilijk om me voor te stellen wat hij allemaal ziet. Hij moet werkelijk gouden tijden beleefd hebben, daar in donker Afrika.

Gruyèrekaas

'Weet je zeker dat je kunt rijden, opa?'

Bezorgd zie ik hoe hij twijfelend naar zijn sleutelbos kijkt alsof hij niet kan beslissen welke sleutel op de auto past. Heel even richt hij een verwarde blik op mij en schudt dan even met zijn hoofd.

'Natuurlijk,' mompelt hij binnensmonds. 'Ik was met mijn gedachten even ergens anders. Naar de luchthaven, niet?'

Hij doet het portier open en stapt in. Wanneer hij de auto naar buiten heeft gereden, sluit ik de garagepoort en ga naast mijn grootvader zitten. We rijden de lange oprijlaan af en zetten koers naar de luchthaven van Zaventem. Daar landt het vliegtuig dat mams terugbrengt. Ze heeft de hele nacht gevlogen en zal doodmoe zijn. Zou ze papa al missen? Voor haar moet het moeilijker zijn dan voor mij. Ik ben eraan gewend paps weinig te zien, maar zij zijn tenslotte getrouwd.

Op de autosnelweg zingt opa zachtjes een liedje: '*Tula Tu Tula baba Tula sana Tul'umam 'uzobuya ekuseni Tula Tu Tula baba Tula sana Tul'umam 'uzobuya ekuseni*'. Het is een Afrikaans slaapliedje dat hij wel eens zingt wanneer ik ga slapen. Afrika lijkt steeds meer plaats in te nemen in zijn hoofd, alsof hij begonnen is aan een lange reis naar zijn eigen verleden. Soms bekruipt me de angst dat hij niet meer zal terugkomen.

'Mams!' Ik glip onder de afzetting door en vlieg in de armen van mijn moeder. Haar innige omhelzing doet me beseffen hoe hard ik haar heb gemist. We zoenen elkaar en onze wangen zijn helemaal nat van de vreugdetranen.

'Hoe gaat het met mijn kleine meisje? Je kunt je niet voorstellen hoe ik ernaar heb verlangd je te kunnen omhelzen,' zucht ze.

Opa kijkt peinzend naar de bagagetrolley wanneer we bij hem komen.

'Ga je op reis, Marjolein?'

'Doe niet zo mal, vader,' zegt mams. 'Mijn vliegtuig is net geland.'

'Natuurlijk, vandaar die bagage.'

Moeder kijkt me vragend aan, maar ik trek alleen mijn wenkbrauwen op.

'Waar ben je geweest dan? Is Gerard niet meegekomen?'

'Gerard is achtergebleven in Kinshasa natuurlijk. Waarom vraag je nou ...'

'Kinshasa! Verdraaid! Hoor je dat, Auke? Je moeder is in Kinshasa geweest en ze laat het ons niet eens even weten. Nu zou je denken dat een klein berichtje ...'

'Opa,' onderbreek ik hem.

Hij aarzelt even.

‘Of wisten we het wel?’

Ik knik alleen maar.

‘Natuurlijk,’ mompelt hij, terwijl hij mijn moeder de bagagetrolley uit haar handen neemt. ‘Je moet maar niet teveel op me letten, dochterlief. Ik heb af en toe van die vreemde gaten in mijn hoofd. Volstrekt onschadelijk, maar wel ontzettend vervelend.’

‘Gaten?’ wil mama weten.

‘Ja, gatenkaas, weet je wel? Zoals die lekkere Zwitserse, hoe heet die ook alweer? Gruyère, dat is het!’

‘Ik leg het wel uit op de terugweg, mams,’ kom ik snel tussenbeide.

‘We kunnen opa niet aan zijn lot overlaten, mama.’

‘Nee, dat is overduidelijk,’ antwoordt ze, terwijl ze voorovergebogen over haar koffer staat. Ze sorteert het wasgoed met onfeilbare efficiëntie. Wit gaat bij witte was, gekleurd bij de bonte was en wat schoon is, sorteert ze netjes op stapeltjes, klaar om in de linnenkast te leggen.

Opa heeft ons thuis afgezet en is meteen naar huis gereden. Hij wilde niet binnenkomen voor een kopje thee, want hij mocht zijn bos niet te lang alleen laten. Een vreemd argument, maar ik kijk inmiddels nergens meer van op. Mijn moeder heeft ademloos geluisterd naar mijn verhaal en toen ik over de gijzeling vertelde, werd ze helemaal bleek. Ze maakt zich ernstige zorgen om haar vader.

'Ik zal eens met onze huisarts overleggen. Hoogstwaarschijnlijk zullen we een neuroloog moeten raadplegen en stappen moeten ondernemen om opa naar een bejaardentehuis ...'

'Geen sprake van! Uitgesloten!'

Mijn moeder kijkt me verbaasd aan.

'Ik heb het hem beloofd, mams. Opa wil niet naar een instelling. Dat wordt zijn dood. Zijn bos missen, betekent zijn ondergang. Je moet hem daar bezig zien, mams. Elke keer wanneer we gaan wandelen, leeft hij op. Dat is zijn thuis. We mogen hem dat niet afpakken.'

Mijn moeder is duidelijk geschrokken van de felheid waarmee ik reageer.

'Maar, Auke. Je begrijpt toch wel dat hij daar onmogelijk in zijn eentje kan blijven wonen? Dat is onverantwoord. Wie weet wat hij mettertijd allemaal uitspookt?'

'Hij is toch niet alleen?'

'Hoezo?'

'Ik logeer toch bij hem?'

'Logeerde. Ik ben nu weer thuis. Uiteraard kom je weer bij mij wonen.'

'Niet noodzakelijk, mama. Je zou twaalf maanden wegblijven. Ik kan evengoed bij opa blijven.'

'Zou je dat dan willen?'

'Ik heb het er buitengewoon naar mijn zin. En dan heeft hij meteen iemand bij zich. Als er dan iets gebeurt, kan ik jou toch opbellen? Je zou ons zelfs dagelijks kunnen bezoeken. Dan zijn we toch ook veel samen?'

'Ik weet het niet, Auke,' zegt mama weifelend.

Ik merk dat ze niet zeker is. Natuurlijk houdt ze ook van haar vader en wil ze niets liever dan dat hij gelukkig is. Maar ze heeft zo haar vraagtekens. Toch staat ze volgens mij op het punt om toe te geven. Ik moet gewoon nog even volhouden.

'Alsjeblieft, mams? Doe het voor opa. Hij zal zo gelukkig zijn als hij bij zijn bos kan blijven.'

'Nou vooruit dan, voorlopig zijn er in ieder geval geen potten gebroken. We kunnen altijd nog opnieuw bekijken hoe het verder moet.'

'Dankjewel, allerliefste mama,' zeg ik terwijl ik haar een klinkende zoen geef. 'Vertrekken we dan nu naar opa? Ik durf te wedden dat hij ons op warme chocolademelk trakteert.'

'Nog even dit wasgoed sorteren, Auke. En dan rijden we daar naartoe.'

'Wel wel, wie zullen we daar hebben! Mijn prachtige dochter Marjolein en mijn allerschattigste kleindochter Auke. Als dat geen eeuwigheid geleden is.'

Opa komt ons breed glimlachend tegemoet. Hij is er duidelijk van overtuigd dat hij ons in geen tijden heeft gezien.

'Hebben jullie zin in een heerlijke beker warme chocolademelk?'

'Dat zou geweldig zijn, opa,' antwoord ik.

'Daar zorg ik meteen voor.'

Moeder kijkt hem wat beduusd na terwijl hij naar zijn fornuis loopt, maar ik voel me gelukkig.

De grote, witte neushoorn

'Dit spoor moeten we volgen, Auke.'

Opa is buiten adem en dat komt niet door de tijgersprong over de evenaar die we daarnet weer gewaagd hebben. Hij is opgewonden door de ontdekking die hij heeft gedaan.

'Mijn kop eraf als dat geen sporen zijn van de grote, witte neushoorn, de *Ceratotherium simum cottoni*. Een legendarisch zoogdier dat bijna niemand ooit te zien krijgt. Niet verwonderlijk, als je weet dat er in Congo nog maar twee van die zeldzame dikhuiden rondlopen. Maar een spoorzoeker van mijn kaliber verschalk je niet zomaar, zelfs niet als je de witte neushoorn in hoogsteigen persoon bent. Hou je ogen open en blijf alert, Auke. Dit specimen kan uitzonderlijk woest worden. Als hij over je heen galoppeert, kun je een kruis zetten door je toekomstplannen.'

Hoewel ik natuurlijk weet dat de kolos waarover grootvader het heeft hier onmogelijk kan zijn, nestelt een deel van opa's opwinding zich onder mijn huid. Gespannen volg ik hem, terwijl hij zijn blik onafgebroken op de grond gericht houdt om de sporen te kunnen volgen. Als deze afdrukken in het slijk van een rinoceros zijn, gaat het om het allerkleinste exemplaar ter wereld. Ik gok eerder op een konijn, maar weet ik veel of je die

wel vindt aan de andere zijde van de evenaar?

'De struiken in,' sist opa en tegelijkertijd grijpt hij me onder mijn oksels en sleurt me mee het struikgewas in.

Hoewel zijn hersenen het langzaamaan laten afweten, lijkt zijn spierkracht niet onderhevig aan ouderdomsverschijnselen. Hij is nog altijd verrassend sterk.

'Daar is hij. Is hij niet prachtig?'

Opa wijst naar een wit konijn dat nietsvermoedend voorbij huppelt. De zachte pluizenbol heeft een smetteloos witte vacht en rode ogen en ik herken de albino van de buren, die zo'n tweehonderd meter verderop wonen. Het is niet de eerste keer dat hun konijn uit zijn hok ontsnapt. Grootvader noemde hem vroeger wel eens dikke Houdini, want het is inderdaad een kolossaal konijn, maar nu ziet opa in hem blijkbaar de legendarische, grote witte neushoorn. We volgen het dier tot de evenaar. Zodra het konijn over de denkbeeldige grens springt, verliest opa zijn interesse alsof het met die beweging is veranderd van gedaante. Opa staat met zijn handen op zijn heupen en kijkt nauwlettend om zich heen.

'De *Ceratotherium simum cottoni* is verdwenen. Wat een geluk dat we hem hebben gezien. Weinig mensen hebben dat voorrecht, Auke. Besef je dat wel?'

Ik knik eerbiedig. We steken de evenaar opnieuw over en opa krijgt het konijn in de gaten.

'Kijk, Auke. Daar loopt de albino van Marcel, mijn buurman. Is dat dekselse konijn alweer ontsnapt? Kom, we vangen hem. Hier verdwaalt dat beest alleen maar.'

Ik kijk hem hoofdschuddend na terwijl hij het konijn met voorzichtige tred nadert. Hoe kan hij in vredesnaam van het ene moment op het andere opnieuw een gewoon konijn zien in zijn witte neushoorn? In plaats van daarover mijn hoofd te breken, kan ik hem maar beter helpen, besluit ik. Met een omtrekkende beweging probeer ik het dier tussen ons in te krijgen. Opa steekt goedkeurend zijn duim omhoog. Het is nog maar een kwestie van seconden voor we de langoor bij zijn nekvel zullen hebben. We vormen een prima team, mijn opa en ik.

Christel van Bourgondië
Dikkedunne Merle

Op een klassenfoto ziet Merle een nijlpaard en tot haar schrik ontdekt ze dat zij dat zelf is. Ze is zo megadik, dat ze niet veel meer kan en ook geen vrienden heeft.
En nu willen ze haar ook nog opsluiten in een dierentuin.
Maar dan komt er een woest uitziende vrouw langs, die beweert dat ze Merle zal redden.

Met tekeningen van Alice Hoogstad

Hennie Molenaar
Na de storm

'Heb je het dan niet gehoord?'
'Wat?'
'Van de overstromingen. Er zijn overal dijken doorgebroken. Vader en moeder kunnen wel verdronken zijn!'

Het is februari 1953. Een zware storm raast over Nederland. In het zuiden breken de dijken door. Er zijn overstromingen. Duizenden mensen moeten vluchten. Adriaan woont in Delft bij zijn zus. Hij heeft geen idee of zijn ouders de ramp overleefd hebben. Hij is vreselijk ongerust en gaat op onderzoek uit. Zal hij hen nog terugzien?

Met tekeningen van Daniëlle Schothorst

Hennie Molenaar

Spion voor de prins

'Kan ik niets anders doen?' vroeg Marnix.
'Je zou eigenlijk tevreden moeten zijn. Je wilde zelf het leger in; daar hoort dit werk bij. Maar goed ...' zijn vader dacht even na. 'Er is wel iets. Ik weet alleen niet of je daar geschikt voor bent.' 'Wat dan?'
'We hebben onopvallende jongens nodig, die bekijken hoe de situatie in Den Bosch is en dat aan ons doorgeven.' 'Spioneren!' riep Marnix enthousiast.

Marnix wordt spion voor de prins en het lukt hem de belegerde stad binnen te komen. Daar ontmoet hij Geertrui. Zij hoort bij de vijand, maar Marnix vindt haar erg aardig. Kan dat eigenlijk wel?

Met tekeningen van Camila Fialkowski

Bies van Ede

De drie weesjongens

'Ze zeggen ...'
'Ja, dat heb ik ook gehoord ...'
'Wat vreselijk! Hoe moet het nu verder?'
'Niemand weet het!'
Als dat soort dingen gefluisterd wordt, weet iedereen dat er iets ergs aan de hand is. Niemand weet precies wát, dus iedereen bedenkt zelf iets. 'Er is een monster in de stad gekomen. Het heeft zijn nest onder de Domkerk gemaakt!' zeggen sommige mensen. 'Het bewaakt een goudschat! Het gaat pas weg als het drie jonkvrouwen krijgt,' vertelt weer iemand anders.

Wat zou er aan de hand zijn in Utrecht?
De drie weesjongens gaan op onderzoek uit. Beleef hun avontuur mee!

Met tekeningen van Yolanda Eveleens